✦ DAMAS ✦
FEROZES

Contos feministas que atravessam eras

DAMAS FEROZES

TRADUÇÃO
Gabriela Araújo (diversos)
Karoline Melo (diversos)
Regiane Winarski (Papel)
Lady Sybylla (Sultana)
Karine Ribeiro (Desirée)

CAPA E PROJETO GRÁFICO
Marina Avila

PREPARAÇÃO
Karen Alvares (diversos)
Cristina Lasaitis (diversos)
Cláudia Belhassof (Sultana)
Camila Fernandes (Desirée)

REVISÃO
Lorena Camilo, Bárbara Parente e Carolina Rodrigues

1ª edição, 2024

DADOS INTERNACIONAIS DE CATALOGAÇÃO NA PUBLICAÇÃO (CIP)
Catalogação na fonte: Bibliotecária responsável: Ana Lúcia Merege - CRB-7 4667

D 155
Damas ferozes / Woolf, Virginia [et al.]; tradução de Regiane Winarski [et al.]. - São Caetano do Sul, SP: Wish, 2024.
224 p.
Várias autoras
Várias tradutoras
ISBN 978-65-67566-73-3 (Capa dura)

1. Antologia de ficção 2. Contos feministas I. Woolf, Virginia II. Winarski, Regiane

CDD 808.83

ÍNDICE PARA CATÁLOGO SISTEMÁTICO
1. Antologia de ficção 808.83

EDITORA WISH
www.editorawish.com.br
Redes Sociais: @editorawish
São Caetano do Sul - SP - Brasil

© Copyright 2024. Este livro possui direitos de tradução e projeto gráfico reservados e não pode ser distribuído ou reproduzido, ao todo ou parcialmente, sem prévia autorização por escrito da editora.

Eu não desejo que elas (as mulheres) tenham poder sobre os homens; mas sobre si mesmas.

Mary Wollstonecraft (1759-1797)
Escritora, filósofa e defensora dos direitos da mulher inglesa

SUMÁRIO

BIOGRAFIAS DAS AUTORAS..................8

PREFÁCIO *por Bárbara Libório*..................16

O VESTIDO NOVO
Virginia Woolf..................22

O PAPEL DE PAREDE AMARELO
Charlotte Perkins Gilman..................34

A HISTÓRIA DE UMA HORA
Kate Chopin..................56

JULGADA POR SEUS PARES
Susan Glaspell..................62

A TEMPESTADE
Kate Chopin..................92

ÊXTASE
Katherine Mansfield..................100

OS OUTROS DOIS
Edith Wharton 118

A BELA DANÇARINA DE EDO
Grace James 144

HOMENS DE MÁRMORE
Edith Nesbit 154

AS DUAS PROPOSTAS
Frances Watkins Harper 172

O SONHO DA SULTANA
Rokeya Sakhawat Hossain 188

O BEBÊ DE DESIRÉE
Kate Chopin 204

UMA MATINÊ DE WAGNER
Willa Sibert Cather 212

AS AUTORAS

Vidas de escritoras revolucionárias

Por Laura Brand

CHARLOTTE PERKINS GILMAN
(1860–1935)

A vida de Charlotte refletia a de muitas mulheres antes dela: precisou lidar com o escrutínio de uma sociedade patriarcal, viu o pai abandonar a família na pobreza, estudou mesmo enfrentando dificuldades e viveu a depressão após o parto de sua filha. Entretanto, Charlotte deixou uma marca única. Após o divórcio, algo incomum para as mulheres da época, mudou-se para a Califórnia com a filha, onde passou os anos seguintes escrevendo e dando palestras sobre feminismo, casamento, movimentos sociais e o papel da mulher na sociedade. Destacou-se como teórica pioneira no movimento feminista nos Estados Unidos, advogou pela independência financeira das mulheres, se tornou uma palestrante notável, liderou o periódico *The Forerunner*, onde publicou diversos de seus textos e se tornou uma das mulheres mais influentes do século XX. "O Papel de Parede Amarelo" é uma história-chave na literatura feminista e um lembrete de sua potência literária, feminina e humana.

* 8 *

EDITH NESBIT
(1858–1924)

Nesbit é considerada a primeira escritora moderna de livros infantojuvenis e criadora do gênero de aventura dentro das histórias voltadas para jovens. Entretanto, suas primeiras obras eram histórias de horror ou romances que tratavam dos primórdios do movimento socialista na Inglaterra. Mãe de quatro filhos, viveu um casamento escandaloso para a sociedade e não permitia ser colocada na posição que a sociedade vitoriana considerava adequada para uma mulher. Sua memória continua viva nas palavras que escreveu, nos escritores que inspira e narrativas que viajam pelo tempo até chegar a nós.

KATHERINE MANSFIELD
(1888–1923)

A brevidade de sua vida não refletiu nas obras que serviram de inspiração para outras grandes autoras, como Clarice Lispector e Virginia Woolf. Katherine publicou em jornais e periódicos quando ainda era adolescente e se mudou para Inglaterra com 19 anos para mergulhar no mundo literário que amava e ampliar seus horizontes para além da Nova Zelândia colonial que conheceu quando criança. Rodeou-se de pessoas cuja sexualidade não era aceita dentro dos padrões da época e é considerada uma das primeiras e mais célebres escritoras *queer*.

FRANCES WATKINS HARPER
(1825–1911)

Frances Watkins Harper foi uma das poetisas negras mais conhecidas do século XIX e uma das mais importantes figuras na luta sufragista nos Estados Unidos. O sobrenome dos pais, que morreram quando ainda era bem jovem, infelizmente se perdeu, e Frances foi criada pelos tios, dos quais herdou o sobrenome Watkins. Graças ao tio, Frances teve acesso a uma educação de qualidade. Entretanto, como muitas mulheres negras de sua época, precisou começar a trabalhar cedo. Nos intervalos entre o trabalho como costureira e babá, mergulhou nas palavras e, com 20 anos, publicou seu primeiro livro de poesia. Oradora talentosa, ela também se estabeleceu como oradora renomada no circuito abolicionista e defensora feroz dos direitos das mulheres negras. Ajudou pessoas escravizadas a escaparem pela Underground Railroad e escreveu frequentemente para jornais antiescravistas, o que lhe valeu a reputação de mãe do jornalismo afro-americano. Frances usou seu talento e sua escrita como ferramenta de luta. "As Duas Propostas" é considerado o primeiro conto publicado por uma mulher negra nos Estados Unidos. Frances Watkins Harper deixou histórias que servem de lembrete para que as lutas daquelas que vieram antes de nós nunca sejam esquecidas.

ROKEYA SAKHAWAT HOSSAIN
(1880–1932)

Nascida na Índia colonial, na atual Bangladesh, Rokeya Hossain é uma autora pioneira na ficção utópica feminista e uma das primeiras mulheres em sua sociedade a falar sobre igualdade de gênero. Escritora, pensadora, educadora, ativista social, defensora dos direitos das mulheres, é amplamente considerada vanguardista na educação das mulheres no subcontinente indiano durante a época do domínio britânico. Ela acreditava na emancipação feminina por meio da independência financeira e do acesso à educação. Seu marido a encorajou ativamente a estudar o inglês e ler obras estrangeiras, o que era extremamente incomum para a época. Rokeya começou a escrever suas próprias histórias durante esse período. Mesmo após a morte do marido e das duas filhas, Rokeya continuou a trabalhar. Além de fundar organizações, escolas e liderar movimentos emancipatórios, Rokeya traduziu em suas histórias, poemas e artigos os ideais pelos quais lutava, resistiu por meio da ficção e abriu portas para projetos emancipatórios feministas decoloniais e deixou um legado imensurável para as mulheres que seguiriam seus passos.

VIRGINIA WOOLF
(1882–1941)

Poucos nomes deixaram marcas tão profundas na literatura quanto Virginia Woolf, figura-chave no modernismo literário e uma das pioneiras do feminismo no século XX.

Romancista, ensaísta, biógrafa e feminista, Woolf derramou muito de sua vida nas histórias que escreveu. Usou da ficção para colocar o que viu do relacionamento dos pais, sua admiração e relação com outra mulher e romancista, a luta constante contra a depressão e um possível transtorno bipolar.

Suas palavras se tornaram ferramentas de resistência e transformação. Abordou as mudanças sociais vividas na Inglaterra, questionou o papel da mulher, a família tradicional, o fascismo e a guerra, a sexualidade feminina, além do lugar da mulher dentro da literatura.

Ao lado de outros grandes nomes, foi integrante do Grupo de Boomsbury, movimento de rebelião social aliado à criatividade artística e liberdade sexual. Não permitindo ser rotulada, Virginia Woolf quebrou barreiras, atravessou gerações e se mantém como uma das mais conhecidas e amadas autoras de todos os tempos.

GRACE JAMES
(1864–1930)

Grace James nasceu em Tóquio enquanto a família acompanhava seu pai, oficial da marinha britânica. Passou sua infância no Japão e cresceu ouvindo narrativas locais. Sua escrita foi bastante influenciada por sua mãe e ambas escreveram histórias infantis inspiradas em contos japoneses. Grace participou ativamente da Japan Society of London, organização responsável por estreitar os laços entre o Reino Unido e o Japão. Suas histórias foram responsáveis por resgatar elementos do folclore japonês e apresentá-los para o Ocidente e recontá-las para novas gerações.

KATE CHOPIN
(1850–1904)

Kate cresceu rodeada de outras mulheres que inspiraram as histórias que escreveu. Foi criada por sua mãe, viúva, sua avó, bisavó e tias, e passou parte da adolescência em um convento. No século XX, suas obras foram redescobertas e voltaram a ser estudadas pela representação de figuras femininas e por temas como sexualidade, algo bem disruptivo para a época. Kate retratou a realidade pós-Guerra Civil no sul dos Estados Unidos, incluindo questões de raça e gênero que começavam a se tornar discussões mais latentes na época e que geram controvérsias entre estudiosos da autora até hoje.

EDITH WHARTON
(1862–1937)

Edith Wharton é um dos maiores nomes da literatura norte-americana. Nascida em uma família rica, Warthon usou seus privilégios para defender as causas nas quais acreditava e não hesitou em se envolver quando necessário. Com apenas 16 anos, publicou sua primeira coletânea de poemas e, ao final de sua adolescência, começou a frequentar festas e bailes da alta sociedade. Essa realidade serviria de inspiração para críticas presentes em suas futuras obras.

Quando a Primeira Guerra Mundial estourou, Edith vivia em Paris e já havia se tornado rica e famosa, mas optou por ficar na França e se dedicar à criação de uma complexa rede de organizações beneficentes e humanitárias. Ela usou seus recursos e trabalho para relatar sobre as linhas de frente, ajudou milhares de refugiados, abriu um hospital para afetados pela tuberculose e angariou fundos. Na escrita, questionou convenções sociais por meio de personagens femininas atípicas e se tornou a primeira mulher a vencer o Prêmio Pulitzer de ficção, recebeu um doutorado honorário em Letras da Universidade de Yale e se tornou membro pleno da Academia Americana de Artes e Letras.

SUSAN GLASPELL
(1876–1948)

Susan Glaspell foi dramaturga, atriz, romancista e jornalista ganhadora do prêmio Pulitzer. Fundou a primeira companhia moderna de teatro dos Estados Unidos, e "Trifles", uma de suas peças baseada no julgamento de um assassinato que ela cobriu como repórter, é considerada uma das grandes obras do teatro americano e importante obra da literatura feminista. Em seu texto sutil, mas subversivo, Gaspell discutiu as relações de gênero e usou a literatura para denunciar a condição feminina na sociedade.

WILLA SIBERT CATHER
(1873–1947)

Willa planejava estudar medicina, mas as palavras falaram mais alto. Destacou-se como editora e publicou contos antes de mergulhar nos romances. Controversa para a época, durante a faculdade, às vezes vestia roupas masculinas, usava o apelido de "William" e se envolveu principalmente com mulheres. Tendo crescido em uma cidade no interior dos EUA, cercada de línguas estrangeiras, se conectou principalmente com as mulheres imigrantes e foi para essa ambientação que seus romances se voltaram. Suas histórias se tornaram *best-sellers*, lhe renderam um Prêmio Pulitzer e renome internacional.

DAMAS FEROZES
PREFÁCIO

Por **Bárbara Libório**, diretora de conteúdo do Instituto AzMina

uando grande parte dos contos impressos nas próximas páginas foram escritos pela primeira vez em um papel, a palavra "feminismo" mal tinha sido estampada em um dicionário. Foi ali, entre o século XIX e o início do século XX, que países como França, Reino Unido e Estados Unidos começaram a falar formalmente do movimento de mulheres que pedia a igualdade de direitos políticos e econômicos entre gêneros, principalmente o direito ao sufrágio universal – o voto. Antes disso, no entanto, mulheres como Frances Watkins Harper já lutavam em outras batalhas: a poeta, primeira mulher afro-americana a publicar um conto, teve uma vida dedicada ao abolicionismo – não haveria igualdade sem verdadeira liberdade para os seus.

Assim como ela, outras autoras aqui publicadas foram as primeiras em muitas coisas: Susan Glaspell fundou a primeira companhia moderna de teatro dos Estados Unidos. Edith Nesbit é considerada a primeira escritora moderna de livros infantojuvenis, mesmo tendo publicado muitos de seus contos sob um pseudônimo "neutro", como muitas outras autoras mulheres tiveram que fazer para serem respeitadas. Outros nomes, como Virginia Woolf e Katherine Mansfield, talvez nem precisem de grandes apresentações. Em comum, além do amor pela literatura, está o envolvimento em uma luta tão secular quanto atual: os direitos das mulheres. Eu, Bárbara Libório, fui a primeira em coisas mais humildes – a primeira de uma família matriarcal a concluir a graduação, por exemplo –, mas, assim como elas, guardo o amor pelas palavras, como jornalista que sou, e pelo feminismo.

A importância do movimento feminista organizado, sabemos, é tamanha. Se você, mulher, hoje vota, tem acesso facilitado aos anticoncepcionais, direito garantido ao divórcio e leis que previnem e defendem da violência de gênero, pode agradecer às feministas. E às conquistas práticas, como essas, antecedem-se debates que só passaram a existir por conta desse movimento. Estudamos para chegar aonde estamos: fomos, séculos atrás, na caça às bruxas e à "histeria feminina", para entender como a perseguição e a opressão às mulheres opera até hoje. Recuperamos a história da reprodução social para discutir, com Silvia Federici, como o trabalho do cuidado não é amor: é trabalho não remunerado. Doamos nossas vozes e nossos corpos às lutas contra o capitalismo, o racismo, a LGBTfobia, a xenofobia e aos desastres nada naturais que nos levam às emergências climáticas. Estivemos e estamos na linha de frente de todas as lutas – porque somos também as mais afetadas pelos seus reveses.

Mas reservada a importância de nomear, datar movimentos e assim fazer seu registro histórico, gostaria de chamar a atenção para uma coisa especial neste livro: os contos a seguir mostram que as fagulhas e centelhas da solidariedade entre mulheres – e do movimento que ela pode causar ao seu redor – não carecem muito de datas ou nominações. Gosto de pensar que elas estiveram presentes desde sempre, do primeiro momento em que fomos vistas como "o outro" ou "o segundo sexo", como nos diz Simone de Beauvoir.

Histórias como a que conta Susan Glaspell em "Julgada Por Seus Pares" me fazem crer. Duas mulheres que tinham pouco ou quase nada em comum se unem em silêncios e olhares para julgar e proteger uma terceira, com a qual compartilhavam apenas o fato de entenderem o que era ser mulher e esposa no início do século XX.

É da sororidade – ou da dororidade[1] de Vilma Piedade – que nascem os pequenos, mas gigantes em impacto, movimentos que vemos neste livro. Eles não têm nome, não estão divididos em ondas, não dão origem a direitos universais ou novas leis, mas são encontros de mulheres que mudam vidas quando acontecem.

Mais ou menos como a relação de Virginia Woolf e Katherine Mansfield, que segundo a biógrafa da primeira era "íntima, competitiva e mutuamente inspiradora". Como costuma ser quando enxergam juntas duas mulheres geniais, muitos tentaram pintar as escritoras como ferozes rivais – e aqui é válido lembrar que, enquanto a rivalidade entre homens é máscula, natural, produtiva, a feminina é sempre comum, histérica e desprezível.

Dizem que Woolf não foi capaz de conter sua inveja quando leu "Êxtase" pela primeira vez. Bom, eu tampouco. Mansfield descreve em parágrafos tantas emoções e sentimentos que quase podemos tocar ao reconhecê-los em nossas próprias lembranças. Quem de nós nunca acordou sentindo um fim de tarde queimando no peito? Agradecendo aos céus por ter a vida perfeita, mas também um pouco deslocada por saber ser elegante de menos comemorá-la? E quantas, horas depois, não vimos cair a noite e também nossas ilusões – incluídas aquelas sobre nós mesmas? No auge da primeira onda feminista no Reino Unido, Mansfield foi capaz de discutir casamento, sexualidade, fidelidade e, é claro, o patriarcado, em um conto sobre um dia cotidiano de uma mulher comum. O embasbacamento de Woolf me parece assim, natural. E gosto de imaginar que Bertha, a protagonista de "Êxtase", elogiaria o vestido novo de Mabel, a protagonista do conto de Woolf, ainda que o invejasse, como tantas vezes fizeram suas criadoras.

---

1   Semelhante conceito de *sororidade*, que se trata do pensamento de união, empatia e solidariedade entre mulheres, mas a *dororidade* se aplica às mulheres negras e suas lutas particulares. [N.E.]

Não se pode deixar de notar, aliás, como o casamento como um destino imposto à mulher é retratado não apenas por Mansfield, mas em vários dos contos escolhidos. Entre todos – incluindo aqueles que retratam uniões infelizes, como "As Duas Propostas" de Harper, mas também momentos de libertação, como "A Tempestade" de Kate Chopin –, foi "Os Outros Dois", de Edith Wharton, que mais me remeteu aos dias atuais, embora tenha sido escrito em 1904. Isso porque eu, você ou alguma mulher com quem você convive e conhece: todas nós já fomos definidas pelos relacionamentos que tivemos. Quantas vezes já fomos apenas a esposa de alguém? Ou a ex de um outro? Com nossos nomes esquecidos, nossas personalidades apagadas, nossas histórias indiferentes.

Se este livro trouxesse apenas contos de mulheres brancas britânicas, norte-americanas ou neozelandesas, talvez fossem apenas esses os principais temas aqui abordados: críticas ao matrimônio, reflexões sobre autodeterminação sexual, acesso a melhores condições de educação e trabalho, direito ao voto, essas que foram grande parte das bandeiras da primeira onda do feminismo nesses países. Mas outros contos, como o da indiana Rokeya Sakhawat Hossain, mostram que nunca houve uma "mulher universal" ou uma luta verdadeiramente igualitária que não levasse em consideração recortes também de raça e classe. A sultana de Hossain sonhava, antes de casar-se ou de poder votar, ser livre: da "zenana", parte da casa que era destinada às mulheres na Índia, mas para muito além dela também.

E não é isso que a ficção e os contos fazem, afinal? Nos levam a realidades imaginadas, sonhadas ou ainda não percebidas? Como comunicadora e ativista, me pego refletindo cada vez mais sobre como dispomos pouco da arte como ferramenta de conscientização e de mobilização. Se precisamos do feminismo no século XXI – e precisamos! –, é necessário pensar em como mostrar ao mundo a realidade que vivemos e aquela que queremos. Em como trazer mais meninas e mulheres para a luta por mais: mais acesso a saúde e educação pública e universal, mais direitos sexuais e reprodutivos, mais acesso a espaços de poder a fim de reformulá-los, mais reconhecimento ao trabalho de cuidado, mais políticas públicas que garantam nossa segurança, mais diversidade de corpos e gêneros, mais equidade racial.

Me pergunto quais e quantos contos escritos hoje dariam conta de falar de tudo isso – já foram escritos ou ainda estão por ser? Tenho certeza de que os impressos neste livro farão você sentir a empatia e também a indignação necessária – pequenas fagulhas e centelhas – para começarmos juntas pequenas grandes revoluções.

Bárbara Libório *é jornalista especializada em investigação e dados. É diretora de conteúdo do Instituto AzMina, ONG que une comunicação e tecnologia no combate às violências de gênero. Foi editora da Época, do Aos Fatos e do Canal Meio. Como repórter, passou por IstoÉ, iG e Folha de S.Paulo. É mestre em Mídias Criativas pela Universidade Federal do Rio de Janeiro e doutoranda em Comunicação pela Universidade Metodista de São Paulo. Foi indicada diversas vezes e ganhou prêmios internacionais de jornalismo, como o Prêmio Gabriel García Márquez.*

DAMAS FEROZES

VESTIDO NOVO

Virginia Woolf

✶ 1927 ✶

Mabel Waring está convicta de sua mediocridade perante todos que estão reunidos em uma festa da distinta Clarissa Dalloway. Será realmente imprescindível vestir uma peça que causa desconforto e insegurança?

Mabel teve sua primeira suspeita grave de que havia algo errado quando tirou a capa e a sra. Barnet, passando-lhe o espelho e tocando nas escovas a fim de chamar sua atenção, talvez de maneira explícita demais, para todos os utensílios que estavam na penteadeira, usados para arrumar e melhorar o cabelo, a pele e as roupas, confirmava a suspeita... de que algo não estava certo, não exatamente, suspeita essa que ficou mais forte quando subiu a escada e revelou-se a ela, com convicção, ao cumprimentar Clarissa Dalloway, então foi para o outro lado da sala, para um canto sob a penumbra onde um espelho estava pendurado, e olhou-se nele. Não! Não estava *nada certo*. E de imediato a tristeza que sempre tentava esconder, a insatisfação profunda – a sensação que tinha desde criança, de ser inferior às outras pessoas – abateu-se sobre ela, implacável e sem piedade, com uma intensidade que não conseguiria afastar lendo Borrow ou Scott, como fazia ao acordar no meio da noite em casa; porque ah, esses homens, ah, essas mulheres, todos estavam pensando: *O que a Mabel está vestindo? Ela está horrorosa! Que vestido novo ridículo!*, suas pálpebras tremulando ao se abrirem e em seguida se fechando com muita força. Era uma inadequação terrível; uma covardia; uma falta de vitalidade que a deprimia. E de imediato o cômodo onde, por tantas horas, planejara com a modista o que fariam pareceu sórdido, repulsivo; e a própria sala de estar tão decaída, e ela mesma, ao sair, enchia-se de vaidade ao tocar as cartas na mesa da entrada e dizer "Que sem graça!"

O VESTIDO NOVO

para se exibir: tudo isso agora parecia indescritivelmente bobo, mesquinho e provinciano. Tudo isso fora destruído por completo, exposto e detonado no momento em que ela entrou na sala de estar da sra. Dalloway.

O que pensara naquela tarde, sentada diante das xícaras de chá, quando o convite da sra. Dalloway chegou fora que, claro, não tinha como ela estar na moda. Era até mesmo absurdo fingir, porque moda significava corte, estilo e no mínimo trinta guinéus,[1] mas por que não ser original? Por que não ser ela mesma, de qualquer forma? E, levantando-se, pegara aquele livro antigo da mãe, um livro de moda parisiense da época do império, e havia pensado em como as moças eram muito mais bonitas, mais dignas e mais femininas naquele tempo, portanto, decidiu – ah, foi uma ideia tola – tentar ser como elas, gabando-se, na verdade, de ser modesta e antiquada, e muito encantadora, entregando-se, sem dúvida, a uma orgia de amor-próprio que merecia ser criticada, e então vestiu-se dessa maneira.

Mas não ousou olhar no espelho. Não podia encarar aquele horror: o vestido de seda amarelo-claro, estupidamente antiquado, com a saia comprida, as mangas bufantes, a cintura e todas as coisas que pareciam encantadoras no livro de moda, mas não nela, não entre todas as pessoas comuns. Ela se sentia como a boneca de uma costureira, ali, imóvel, para as jovens espetarem alfinetes.

— Mas, minha querida, é um vestido muito charmoso! — exclamou Rose Shaw, analisando-a de cima a baixo com aquele pequeno franzir satírico nos lábios, assim como ela esperava, já que a própria Rose estava vestida na última moda, do mesmo jeito como todo mundo, sempre.

---

1   A moeda de ouro britânica, o guinéu, começou a ser produzida mecanicamente a partir de 1663 e manteve-se em circulação até o século XX. Seu valor nominal era de 20 xelins. [N. R.]

✳ 24 ✳

Somos todos como moscas tentando rastejar pela borda do pires, pensou Mabel, e repetiu a frase como se fizesse o sinal da cruz, como se tentasse encontrar algum feitiço para anular a dor, para tornar essa agonia suportável. Trechos de Shakespeare, frases de livros que lera anos antes, de repente vinham à sua mente quando estava em sofrimento, e ela as repetia várias e várias vezes.

— "Moscas tentando rastejar" — repetiu ela.

Se repetisse o bastante e fosse capaz de visualizar as moscas, ficaria entorpecida, tranquila, paralisada, surda. Agora conseguia ver as moscas rastejando devagar para fora de um pires de leite com as asas coladas; e ela se esforçava e se esforçava (parada em frente ao espelho, ouvindo a voz de Rose Shaw) para conseguir imaginar Rose Shaw e todas as outras pessoas ali como moscas, tentando se içar para fora de algo, ou para dentro, míseras moscas trabalhadoras insignificantes. Mas não conseguia vê-las assim, não outras pessoas. Ela se via daquele jeito: era uma mosca, mas as outras eram libélulas, borboletas, lindos insetos que dança-vam, flutuavam, planavam enquanto ela, sozinha, arrastava-se para fora do pires (a inveja e a ira, os mais detestáveis dos vícios, eram seus principais defeitos).

— Eu me sinto como uma mosca velha, desleixada, decrépita e muito suja — disse ela, fazendo com que Robert Haydon parasse para ouvi-la falar aquilo, apenas para tranquilizá-la ao resgatar uma frase precária e melancólica e assim mostrar como ela era desapegada e espirituosa, tanto que não se sentia nem um pouco excluída de nada.

E, claro, Robert Haydon deu uma resposta muito educada e bastante fingida, o que ela percebeu no mesmo instante, e dis-se a si mesma, assim que ele se foi (de novo citando o trecho de algum livro):

— "Mentiras, mentiras, mentiras!"

O VESTIDO NOVO

Pois uma festa torna as coisas ou muito mais reais ou muito mais falsas, pensou ela. Num piscar de olhos, viu até o fundo do coração de Robert Haydon; enxergou através de tudo. Viu a verdade. *Aquilo* era verdadeiro, aquela sala de estar, ela mesma, mas ele era falso. O pequeno ateliê da srta. Milan estava terrivelmente quente, abafado e miserável. Cheirava a roupas e repolho cozido; e, ainda assim, quando a srta. Milan colocou o espelho na mão dela, e ela olhou para si mesma com o vestido finalizado, uma alegria extraordinária percorreu seu coração. Cheia de luz, ela desabrochou para a vida. Livre de preocupações e de rugas, o que ela havia sonhado para si estava lá: uma linda mulher. Por apenas um segundo (não ousou se demorar, já que a srta. Milan queria saber se o comprimento da saia estava bom), olhou para si mesma, emoldurada no mogno entalhado, uma moça encantadora, de sorriso misterioso e pele branco-acinzentada, seu próprio cerne, sua própria alma; e não era apenas vaidade, não era apenas o amor-próprio que a fazia pensar que estava bom, delicado e verdadeiro. A srta. Milan avisou que a saia não poderia ser mais comprida; muito menos a saia, insistiu a srta. Milan, franzindo o cenho, considerando, com todo o juízo que a srta. Milan fazia dela, que deveria ser mais curta; e ela sentiu de repente, de verdade, uma onda de amor pela srta. Milan, gostou muito, muito mais da srta. Milan do que de qualquer pessoa no mundo inteiro, e poderia ter chorado de pena por ela ter se arrastado no chão com a boca cheia de alfinetes, o rosto vermelho e os olhos saltados – por pensar que um ser humano fosse capaz de fazer isso por outro, e por enxergar todos como meros humanos, e por ela mesma estar indo para a festa, e pela srta. Milan puxar a capa por cima da gaiola do canário, ou por deixá-lo pegar uma semente de cânhamo do meio de seus lábios, e pensar nisso, nesse lado da natureza humana, em sua paciência, resistência e satisfação com prazeres tão miseráveis, escassos e sórdidos, encheu os olhos dela de lágrimas.

E agora tudo havia desaparecido. O vestido, a sala, o amor, a pena, o espelho entalhado e a gaiola do canário: tudo havia desaparecido, e ali ela estava, em um canto da sala de estar da sra. Dalloway, sendo torturada, despertando para a realidade.

Mas parecia tão insignificante, fraco e mesquinho importar-se tanto, na idade dela, com dois filhos, ainda ser tão dependente das opiniões das pessoas e não ter princípios ou convicções, não ser capaz de dizer, como faziam as outras pessoas: "Isso é Shakespeare! Isso é a morte! Somos todos carunchos no biscoito de um capitão", ou o que quer que as outras pessoas falassem.

Ela se encarou bem no espelho; bateu de leve no ombro esquerdo; saiu do cômodo como se lanças tivessem sido atiradas em seu vestido amarelo por todos os lados. Contudo, em vez de parecer destemida ou dramática como Rose Shaw – em seu lugar, Rose pareceria a Boadiceia[2] –, parecia boba e constrangida, com um sorriso forçado no rosto, como uma menininha, e arrastou os pés pela sala, decerto esgueirando-se, tal qual um vira-lata derrotado, e olhou para um quadro, uma gravura. Como se alguém fosse para uma festa para olhar uma imagem! Todos sabiam por que ela fez isso; era por causa da vergonha, da humilhação.

Agora a mosca está no pires, disse para si mesma, *bem no meio, e não consegue sair, e o leite*, pensou, encarando a imagem, rígida, *está grudando as asas dela uma na outra*.

— É tão antiquado — disse ela a Charles Burt, fazendo-o parar (o que por si só ele detestava) no meio do caminho para conversar com outra pessoa.

---

2 Boadiceia (também conhecida como Boadicea ou Boudica) foi uma rainha guerreira britânica que liderou uma revolta contra a ocupação romana na Grã-Bretanha durante o século I d.C. Ela comandou a resistência dos icenos e tribos vizinhas contra as forças romanas, que haviam oprimido e maltratado sua família. Embora sua revolta tenha sido finalmente reprimida pelos romanos, Boadiceia se tornou uma figura lendária na história britânica, simbolizando a resistência, o determinismo e a coragem contra a opressão. [N. R.]

O que ela queria dizer, ou pelo menos tentava se convencer de que desejava exprimir, era que o quadro era antiquado, não seu vestido. E um único elogio, uma única palavra de afeto de Charles teria feito toda a diferença para ela naquele momento. Se ele tivesse apenas dito "Mabel, você está encantadora esta noite!", isso teria mudado a vida dela. Mas, então, ela deveria ter sido sincera e direta. Charles não disse nada do tipo, claro. Ele era a malícia em pessoa. Sempre conseguia saber o estado de espírito das pessoas, em especial quando estavam se sentindo particularmente maldosas, miseráveis ou frágeis.

— Mabel está de vestido novo! — exclamou ele, e a pobre mosca foi decerto empurrada para o meio do pires.

Na verdade, ele gostaria que ela se afogasse, era o que Mabel pensava. Ele não tinha coração, nenhuma bondade em essência, apenas uma fina camada de cordialidade. A srta. Milan era muito mais verdadeira, muito mais gentil. Quem dera ela pudesse sentir aquilo e agarrar-se ao sentimento, sempre.

Por quê?, perguntou-se ela, respondendo Charles de maneira muito mais atrevida, deixando-o ver que ela estava sem paciência, ou "eriçada", como ele costumava dizer ("Está muito eriçada?", dizia ele, e começava a rir com alguma mulher por perto). *Por que, perguntou-se ela, não consigo sentir só uma coisa sempre, ter a certeza de que a srta. Milan está certa, Charles errado e ponto-final, ter certeza sobre o canário, a pena e o amor, e não ficar afetada um segundo depois de entrar em uma sala cheia de gente?*

Era seu caráter detestável, fraco e inconstante de novo, sempre cedendo num momento crítico e não se interessando de verdade em conquiliologia, etimologia, botânica, arqueologia, como cortar batatas e vê-las dar frutos como Mary Dennis e Violet Searle.

Então a sra. Holman, ao vê-la parada ali, veio em sua direção. Era evidente que algo como um vestido estava abaixo da atenção da sra. Holman, com a família dela sempre caindo escada abaixo ou tendo escarlatina. Será que Mabel conseguiria dizer se Elmthorpe já tinha sido alugada para agosto e setembro? Ah, era uma conversa que a entediava demais! Ser tratada como uma agente imobiliária ou uma mensageira a deixava furiosa por ser usada. *Não ter valor, era isso,* pensou, tentando agarrar algo sólido, verdadeiro, enquanto tentava responder, sensata, a respeito do banheiro, da vista para o sul e da água quente até o andar superior da casa; e o tempo todo conseguia ver uma parte aqui e ali de seu vestido amarelo no espelho redondo que deixava todos do tamanho de botões ou girinos; e era incrível pensar no quanto de humilhação e sofrimento, autoaversão, esforço e altos e baixos de paixão estavam contidos em uma coisa do tamanho de uma moeda de três centavos. E o mais estranho era que essa coisa, essa Mabel Waring, estava separada, quase desconectada; e embora a sra. Holman (o botão preto) estivesse inclinada para a frente, contando-lhe como o filho mais velho dela havia forçado o coração correndo, ela também podia vê-la isolada por completo no espelho, e era impossível que o ponto preto, inclinado para a frente, gesticulando, fizesse com que o ponto amarelo, solitário, autocentrado, sentisse o que o ponto preto sentia, ainda que fingissem.

— É impossível fazer com que garotos fiquem quietos. — Esse era o tipo de coisa que se dizia.

E a sra. Holman, que nunca se cansava de ganhar simpatia e arrebatava o pouco que havia com avidez, como se fosse seu direito (mas ela merecia muito mais, pois sua filhinha havia aparecido naquela manhã com as juntas inchadas), aceitou essa oferta miserável e encarou-a com desconfiança, de má vontade, como se fosse uma moedinha quando deveria ser uma libra, e guardou-a na bolsa, tendo que se contentar com aquilo mesmo, embora fosse mesquinha e avarenta, pois os tempos estavam muito, muito difíceis; e então continuou, rangendo os dentes, a ofendida sra. Holman, a respeito da menina com as juntas inchadas. Ah, que trágica essa ganância,

O VESTIDO NOVO

esse clamor dos seres humanos, como uma fileira de biguás gorjeando e batendo as asas em busca de simpatia; era trágico, de fato, alguém sentir isso em vez de apenas fingir que sentia!

Porém, em seu vestido amarelo aquela noite, ela não conseguia espremer mais uma gota sequer; queria tudo, tudo para si mesma. Sabia (continuava olhando para o espelho, mergulhando naquela piscina azul que a revelava de maneira pavorosa) que estava condenada, desprezada, deixada desse jeito em um beco sem saída por ser assim, uma criatura fraca e instável; e, para ela, parecia que o vestido amarelo era uma penitência que merecera, e se estivesse vestida como Rose Shaw, em um lindo vestido verde justo, com um babado de plumas, ela teria merecido; portanto, achou que não havia uma escapatória para ela, nenhuma em absoluto. Mas a culpa não era toda dela, afinal. Ela era parte de uma família de dez pessoas; nunca tinham dinheiro o bastante, sempre estavam economizando; e a mãe dela carregava latas grandes, e o linóleo gasto nas beiradas da escada, e acontecia uma pequena tragédia doméstica miserável após a outra – nada catastrófico; a fazenda de ovelhas não ia bem, mas não estava tão ruim; o irmão mais velho havia se casado com alguém mais pobre que eles, mas não muito... não havia romance, mas não era nada extremo o que acontecia com eles. A família se estabelecera de maneira respeitável em hotéis à beira-mar; mesmo então, em cada cidade litorânea, uma de suas tias estava dormindo em algum alojamento em que as janelas da frente não davam bem de frente para o mar. Isso era típico deles: sempre tinham que olhar um pouco de lado para as coisas. E ela tinha feito o mesmo; era igualzinha às tias. Todos os seus sonhos giravam em torno de viver na Índia e casar-se com algum herói como Sir Henry Lawrence, algum construtor de impérios (ainda assim, a visão de um nativo com um turbante a enchia de romantismo), mas ela havia falhado por completo. Tinha se casado com Hubert, que tinha um emprego seguro e estável nos tribunais de justiça, e eles se viravam de maneira

30

razoável em uma casa pequena, sem empregadas adequadas, e quando estava sozinha comia só cozido ou apenas o trivial, mas, de vez em quando... A sra. Holman foi embora, considerando-a a pessoa mais seca e antipática que já conhecera, vestida de uma maneira absurda também, e contaria para todos sobre a aparência extravagante de Mabel... De vez em quando, Mabel Waring tinha esses pensamentos, sozinha no sofá azul, afofando a almofada para parecer ocupada, pois não queria se juntar a Charles Burt e Rose Shaw, que tagarelavam como gralhas, talvez rindo dela perto da lareira... De vez em quando, tinha momentos deliciosos, lendo na cama na outra noite, por exemplo, ou na praia, descansando na areia, sob o sol, na Páscoa – deixe-a lembrar-se disso –, um grande tufo de relva erguendo-se todo retorcido no meio da areia, como lanças mirando o céu, que era azul como um ovo de porcelana lisa, tão firme, tão duro, e também a melodia das ondas...

— Silêncio, silêncio — diziam elas, e havia o grito das crianças brincando...

Sim, foi um momento divino, e lá estava ela, sentindo tudo, nas mãos da deusa que era o mundo; uma deusa um tanto insensível, mas muito bonita, como um cordeirinho posto no altar (as pessoas pensavam coisas bobas como essas, e não importava, contanto que nunca dissessem). E também com Hubert, às vezes, ela tinha momentos divinos, totalmente inesperados – cortando o carneiro para o almoço de domingo, sem motivo, abrindo uma carta, entrando em um cômodo –, quando dizia para si mesma (pois nunca diria para mais ninguém): "É isso. Isso aconteceu. É isso!". E, de maneira igualmente surpreendente, o oposto também acontecia; isto é, quando tudo estava planejado: música, clima, férias, todos os motivos para a felicidade estar lá, mas por algum motivo... nada acontecia. Não se era feliz. Era sem graça, só sem graça, e era isso.

Sou infeliz de novo, sem dúvida! Ela sempre fora uma mãe irritadiça, fraca, insatisfatória, uma esposa instável, vivendo uma

O VESTIDO NOVO

espécie de existência crepuscular, sem nada muito claro nem muito ousado, nem mais uma coisa do que outra, como todos os irmãos e as irmãs dela, exceto talvez por Herbert: todos eles eram as mesmas criaturas pobres e sem vontade que não faziam nada. Então, no meio dessa vida arrastada, de repente ela estava na crista de uma onda. Aquela mosca miserável – onde ela lera a história que continuava surgindo em sua mente sobre a mosca e o pires? – conseguia sair do leite. Sim, ela tinha momentos como esse. Contudo, agora que tinha quarenta anos, eles se tornavam cada vez mais raros. Aos poucos, ela deixaria de lutar. Mas isso era lamentável! Não deveria aguentar isso! Isso a fazia sentir vergonha de si mesma!

Ela iria à Biblioteca de Londres no dia seguinte. Encontraria por acaso algum livro maravilhoso, útil e surpreendente, um livro de um clérigo ou de um norte-americano de quem ninguém nunca ouvira falar; ou caminharia pela Strand e entraria, sem querer, num lugar onde um mineiro estaria contando sobre como era a vida na mina, e de repente ela se tornaria uma nova mulher. Seria transformada por completo. Vestiria um uniforme; seria chamada de Irmã Sei Lá Quem; nunca mais pensaria em roupas outra vez. E, para sempre depois disso, teria perfeita clareza a respeito de Charles Burt e da srta. Milan e dessa sala e daquela outra; e seria sempre assim, dia após dia, como se estivesse deitada sob o sol ou cortando carne de carneiro. Seria isso!

Então levantou-se do sofá azul, e o botão amarelo no espelho levantou-se também, e ela acenou para Charles e Rose para mostrar-lhes que não dependia deles nem um pouco, e o botão amarelo se moveu para fora do espelho, e todas as lanças se reuniram em seu peito quando caminhou em direção à sra. Dalloway e disse:

— Boa noite.

— Mas ainda está cedo — disse a sra. Dalloway, que era sempre muito encantadora.

✳ 32 ✳

— Infelizmente, preciso ir — declarou Mabel Waring. — Mas — acrescentou com a voz fraca e hesitante, que apenas soava ridícula quando tentava deixá-la mais forte — eu me diverti bastante.

"Eu me diverti", repetiu ela para o sr. Dalloway, que encontrou nas escadas.

"Mentiras, mentiras, mentiras!", entoou para si mesma, descendo as escadas. E também: "Bem no pires!", para si mesma, enquanto agradecia à sra. Barnet por ajudá-la a se agasalhar, dando voltas e voltas e voltas na capa chinesa que usara por vinte anos.

DAMAS FEROZES

O PAPEL DE PAREDE AMARELO

Charlotte Perkins Gilman

✶ 1892 ✶

Em um clássico feminista, em meio à estampa saturada de amarelo, uma mulher experimenta um desconforto penetrante, como se os padrões labirínticos estivessem conectados a um eco de seu próprio ser, a uma sombra que rasteja para além de seus passos.

É raro que pessoas comuns como John e eu consigam uma residência ancestral para passar o verão.

Uma mansão colonial, uma propriedade hereditária, eu diria uma casa mal-assombrada, e chegar ao ápice da felicidade romântica... Mas isso seria pedir demais do destino!

Ainda assim, declaro com orgulho que há algo de estranho nela.

Por que outro motivo seria alugada por um valor tão baixo? E por que ficou desocupada tanto tempo?

John ri de mim, claro, mas isso é de se esperar em um casamento.

John é prático ao extremo. Não tem paciência com fé, tem um horror intenso a superstição e debocha abertamente de qualquer conversa sobre coisas que não podem ser sentidas, vistas e traduzidas em números.

John é médico, e *talvez* – eu não diria isso para uma alma viva sequer, claro, mas isto aqui é papel morto e um grande alívio para a minha mente –, *talvez* seja esse o único motivo para eu não melhorar mais rápido.

É que ele não acredita que eu esteja doente!

E o que se pode fazer?

Se um médico proeminente, que é seu marido, garante aos amigos e parentes que não há nada de errado de verdade com você além de uma depressão nervosa temporária – e uma leve tendência histérica –, o que se pode fazer?

Meu irmão também é médico, também tem uma posição proeminente, e também diz a mesma coisa.

Então, eu tomo fosfatos ou fosfitos, seja o que for, e tônicos, faço passeios e tomo ar fresco, faço exercícios ao ar livre e estou absolutamente proibida de "trabalhar" até estar bem de novo.

Pessoalmente, discordo das ideias deles.

Pessoalmente, acredito que um trabalho agradável, com estímulo e mudança, me faria bem.

Mas o que se pode fazer?

Eu escrevi por um tempo, apesar deles; mas me *exaure* bastante ter que ser sorrateira ao fazê-lo ou encontrar oposição ferrenha.

Às vezes, penso que, na minha condição, se eu tivesse menos oposição, mais convívio social e estímulo... mas John diz que o pior que eu posso fazer é pensar na minha condição, e confesso que isso sempre me faz me sentir mal.

Portanto, vou deixar esse assunto de lado e falar sobre a casa.

É o lugar mais lindo do mundo! É bem isolada, distante da estrada, a quase cinco quilômetros do vilarejo. Lembra os lugares ingleses sobre os quais se lê, pois há cercas-vivas, muros e portões que podem ser trancados, e muitas casinhas separadas para os jardineiros e outras pessoas.

Há um jardim *esplêndido*! Nunca vi jardim assim: grande e cheio de sombras, com muitos caminhos ladeados por pequenas cercas-vivas e repleto de pérgulas com videiras crescendo nelas e bancos embaixo.

Havia estufas também, mas estão todas quebradas agora.

Houve alguma questão legal, acredito, algo relacionado a herdeiros e coerdeiros; seja como for, o local ficou vazio por anos.

Isso estraga a atmosfera fantasmagórica, infelizmente, mas não me importo. Tem algo de estranho na casa, eu sinto.

Eu até falei isso para John em uma noite enluarada, mas ele disse que o que eu estava sentindo era uma *corrente de ar* e fechou a janela.

❋ 36 ❋

Fico irracionalmente zangada com John às vezes. Sei que eu não era tão sensível. Acho que é devido à condição nervosa.

Mas John diz que, se eu sinto isso, devo abrir mão do autocontrole; por isso, me esforço para me controlar... na frente dele, pelo menos, e isso me deixa bem cansada.

Não gosto nadinha do nosso quarto. Eu queria um no andar de baixo, com vista para a *piazza*,[3] com rosas na janela inteira e cortinas de chita antiquadas que são lindas! Mas John nem quis saber.

Ele disse que só havia uma janela e não havia espaço para duas camas, e nenhum quarto próximo para si caso ele precisasse ocupar outro.

Ele é muito cuidadoso e amoroso, e raramente me deixa fazer qualquer coisa sem orientação especial.

Tenho uma medicação prescrita para cada hora do dia; ele não me deixa ter preocupação alguma, e eu me sinto muito ingrata por não valorizar mais isso.

Ele disse que nós fomos para lá apenas por minha causa, porque eu precisava do descanso perfeito e de todo ar puro que pudesse ter.

— Seus exercícios dependem da sua força, minha querida — disse ele —, e sua alimentação, um tanto do seu apetite; mas ar você pode inspirar o tempo todo.

Por isso, ficamos no quarto no alto da casa.

É um aposento amplo e arejado, ocupa quase todo o andar, com janelas voltadas em todas as direções, e ar e luz do sol aos montes. Foi um quartinho de bebê, depois quarto de brinquedos e ginásio, eu diria; pois as janelas têm grades para a proteção de crianças pequenas e há argolas e coisas nas paredes.

A tinta e o papel parecem ter sido de uma escola de garotos. O papel está rasgado em áreas amplas em torno da cabeceira da

---

3   O termo *piazza* é de origem italiana e refere-se a uma praça, geralmente uma área pública espaçosa, cercada por edifícios ou comércios. Contudo, no contexto mencionado, a palavra indica o desejo de avistar um gazebo, ou seja, um coreto. [N. da R.]

minha cama, até onde eu alcanço, e em um lugar amplo do outro lado do quarto, na parte mais baixa. Nunca vi papel tão horrível em toda minha vida.

É uma daquelas estampas espalhadas e extravagantes, culpada de todos os pecados artísticos.

É tão indefinido que confunde o olhar que o acompanha, tão pronunciado que incomoda constantemente e chama atenção, e quando você segue as curvas falhadas e incertas por uma distância curta, elas cometem suicídio de repente; mergulham em ângulos absurdos, se destroem em contradições inéditas.

A cor é repugnante, quase repulsiva; um amarelo sujo embaçado, estranhamente desbotado pela lenta luz do sol.

É de um laranja embotado e lúgubre em algumas partes, de um tom doentio de enxofre em outras.

Não é surpreendente que as crianças o odiassem! Eu mesma o odiaria se tivesse que morar muito tempo naquele quarto.

Lá vem John, e preciso guardar isto; ele odeia me ver escrevendo.

Estamos aqui há duas semanas e não tive vontade de escrever desde aquele primeiro dia.

Estou sentada junto à janela agora, no quarto infantil atroz, e não há nada que me impeça de escrever tanto quanto eu quiser, exceto minha falta de força.

John fica fora o dia inteiro, e às vezes até à noite quando os casos são sérios.

Fico feliz de meu caso não ser sério!

Mas esses problemas nervosos são terrivelmente deprimentes.

John não sabe o quanto eu realmente sofro. Sabe que não tenho *motivo* para eu sofrer e isso o satisfaz.

Claro que é só nervosismo. Pesa tanto em mim que não faço minhas obrigações de forma alguma!

Eu pretendia ser muito útil a John, ser um verdadeiro descanso e conforto, e aqui estou, sendo um fardo em compensação!

Ninguém acreditaria no esforço que é fazer o pouco de que sou capaz: me vestir, entreter e organizar as coisas.

É uma sorte Mary ser tão boa com o bebê. Um bebê tão bonzinho!

Mas eu *não posso* ficar com ele, me deixa tão nervosa.

Acho que John nunca ficou nervoso na vida. Ele ri tanto de mim por causa desse papel de parede!

No começo, ele pretendia colocar um papel novo no quarto, mas depois disse que eu estava me deixando influenciar demais, e que nada era pior para uma paciente nervosa do que ceder a tais fantasias.

Ele disse que depois que o papel de parede fosse trocado, seria a cama pesada, depois as grades nas janelas e depois o portão no alto da escada, e assim por diante.

— Você sabe que o lugar está fazendo bem a você — disse ele — e, realmente, minha querida, eu não gostaria de reformar uma casa alugada por apenas três meses.

— Então vamos para o andar de baixo — falei. — Tem quartos tão bonitos lá.

Ele me tomou nos braços e me chamou de cisne abençoado, disse que iria para o porão se eu desejasse e ainda mandaria que fosse pintado de branco.

Mas ele tem razão sobre as camas, janelas e outras coisas.

É um quarto arejado e confortável, como qualquer um desejaria, e, claro, eu não seria tola a ponto de deixá-lo desconfortável só por capricho.

Até estou começando a gostar do quarto grande, exceto pelo papel horroroso.

O PAPEL DE PAREDE AMARELO

Pela janela eu vejo o jardim, as pérgulas misteriosas com sombras profundas, as flores antiquadas desordenadas, os arbustos e as árvores retorcidas.

Por outra, tenho uma linda vista da baía e de um píer particular pequeno que pertence à propriedade. Há um caminho lindo e sombreado que vai da casa até lá. Sempre imagino ver pessoas andando pelos numerosos caminhos e pérgulas, mas John me avisou para não ceder nem um pouco às fantasias. Ele diz que, com meu poder de imaginação e hábito de criar histórias, uma fraqueza nervosa como a minha vai acabar levando a todos os tipos de fantasias agitadas, e que eu deveria usar minha disposição e meu bom senso para controlar essa tendência. Por isso, eu tento.

Às vezes, acho que se eu estivesse bem o suficiente para escrever um pouco, isso aliviaria a pressão das ideias e me levaria a descansar.

Mas acabo ficando bem cansada quando tento.

É tão desanimador não ter conselho e companhia em relação ao meu trabalho. Quando eu ficar realmente bem, John diz que vamos pedir ao primo Henry e Julia para fazerem uma longa visita; mas ele diz que prefere botar fogos de artifício na minha fronha a me permitir ter por perto pessoas que me estimulem tanto agora.

Eu gostaria de melhorar mais rápido.

Mas não devo pensar nisso. Esse papel parece *saber* a influência ruim que tem!

Tem um ponto recorrente em que a estampa parece um pescoço quebrado e que tem dois olhos esbugalhados espiando de cabeça para baixo.

Fico sinceramente zangada com a impertinência disso e com a permanência. Os desenhos sobem, descem e se arrastam para o lado, e aqueles olhos absurdos que não piscam estão por toda parte. Tem um lugar em que dois pontos não bateram e os olhos sobem e descem pela linha, um deles um pouco mais alto do que o outro.

✳ **40** ✳

Nunca vi tamanha expressão em uma coisa inanimada, e todo mundo sabe o quanto elas têm expressão! Eu ficava acordada quando criança para obter mais entretenimento e terror das paredes brancas e da mobília simples do que a maioria das crianças encontraria em uma loja de brinquedos.

Lembro-me da piscadela gentil que os puxadores da nossa cômoda grande e velha dava, e havia uma cadeira que sempre parecia uma boa amiga.

Eu achava que, se alguma das outras coisas parecesse feroz demais, eu sempre poderia pular naquela cadeira e ficar em segurança.

A mobília desse quarto não é ruim, mas não é harmônica, pois tivemos que trazer tudo do andar de baixo. Acho que, quando o local era usado como quartinho de brinquedos, tiveram que tirar os móveis do quarto do bebê, e claro que tinha que ser assim! Nunca vi tamanha destruição quanto a que as crianças fizeram ali.

O papel de parede, como falei antes, está rasgado em algumas partes, e consegue ser mais grudento do que um irmão; elas devem ter tido muita perseverança aliada a ódio.

O piso está arranhado, perfurado e lascado, o reboco em si está esburacado aqui e ali, e a cama grande e pesada, a única coisa que encontramos no quarto, parece ter enfrentado guerras.

Mas eu não me importo nem um pouco... só com o papel.

Lá vem a irmã de John. Uma garota tão querida e tão cuidadosa comigo! Não posso permitir que ela encontre meus escritos.

Ela é uma doméstica perfeita, entusiasmada e não deseja profissão melhor. Acredito piamente que ela acha que foi a escrita que me adoeceu!

Mas posso escrever quando ela sair e assim que eu a vir longe pelas janelas.

Há uma que dá vista para a estrada, uma estrada sinuosa adorável e protegida por sombras, e uma que dá vista para o campo. Um campo lindo, cheio de olmos grandes e campinas aveludadas.

Esse papel de parede tem uma espécie de estampa menor em um tom diferente, particularmente irritante, pois só dá para ver com certas luzes, e mesmo assim não muito claramente.

Mas nos lugares onde não está desbotado e onde o sol bate de um jeito, consigo ver uma espécie de figura estranha, provocadora, disforme, que parece se esconder atrás daquele desenho frontal bobo e evidente.

Lá vem a irmã pela escada!

Bem, o Quatro de Julho passou! As pessoas foram embora e estou exausta. John achou que me faria bem ver algumas companhias, e recebemos minha mãe, Nellie e as crianças por uma semana.

Claro que eu não fiz nada. Jennie cuida de tudo agora.

Mas me cansou mesmo assim.

John diz que se eu não me recuperar rápido, ele vai me mandar para o dr. Weir Mitchell no outono.

Mas não quero ir para lá de jeito nenhum. Tive uma amiga que esteve nas mãos dele e ela diz que ele é igual ao John e ao meu irmão, mas pior!

Além do mais, é um esforço enorme ir tão longe.

Não acho que valha a pena fazer isso por nada, e estou ficando terrivelmente agitada e ranzinza.

Eu choro por qualquer coisa e na maior parte do tempo.

Claro que não faço isso quando John está aqui, nem outras pessoas, só quando estou sozinha.

E fico sozinha bastante tempo agora. John precisa ficar na cidade com frequência por causa de casos sérios, e Jennie é boa e me deixa em paz quando eu quero.

Eu ando um pouco no jardim, por aquele caminho adorável, me sento na varanda sob as rosas e passo bastante tempo aqui em cima, deitada.

Estou passando a gostar muito do quarto, apesar do papel de parede. Talvez *por causa* do papel de parede.

Ele fica na minha cabeça de tal jeito!

Eu me deito nessa grande cama imóvel – acredito que seja pregada no chão – e acompanho a estampa por horas a fio. É tão bom quanto ginástica, garanto. Eu começo, digamos, embaixo, no canto onde não foi tocado, e determino pela milésima vez que *vou* seguir aquela estampa sem sentido até alguma espécie de conclusão.

Sei um pouco do princípio do *design* e sei que essa coisa não foi desenhada com base em nenhuma lei da radiação, nem em alternância e repetição, nem simetria, nem nada de que eu tenha ouvido falar.

É repetida, obviamente, na largura, mas não de outras formas.

Olhando de um jeito, cada largura é isolada, as curvas inchadas e floreios – uma espécie de "romanesco corrompido" com *delirium tremens*[4] – sobem e descem em colunas isoladas de imbecilidade.

Mas, por outro lado, conectam-se diagonalmente, e os contornos espalhados seguem em grandes ondas inclinadas de horror ótico, como um monte de algas marinhas ondulantes em perseguição.

Essa coisa toda segue horizontalmente também, ou ao menos parece, e eu me esgoto tentando distinguir a ordem de continuidade nessa direção.

Usaram uma largura horizontal como friso, e isso aumenta a confusão maravilhosamente.

Tem uma ponta do quarto onde está quase intacto, e lá, quando as luzes cruzadas somem e o sol baixo brilha diretamente em cima dele, quase consigo imaginar uma radiação, afinal... o grotesco

---

4 *Delirium tremens* é um estado confusional breve, acompanhado de perturbações somáticas, que usualmente acomete usuários de álcool gravemente dependentes em abstinência absoluta ou relativa. No contexto do conto, a expressão é utilizada de forma metafórica, uma analogia visual para descrever uma atmosfera visual caótica, distorcida, que busca transmitir a ideia de perturbação, destacando a intensidade e a desfiguração perceptual. [N. da R.]

interminável parece se formar em torno de um centro comum e disparar em quedas precipitadas de igual distração.

Cansa-me segui-lo. Tirarei uma soneca, acho.

Não sei por que devo escrever isto.

Não quero.

Não me sinto capaz.

E sei que John acharia absurdo. Mas *preciso* dizer o que sinto, e acho de alguma forma... é um alívio tão grande!

Mas o esforço está sendo maior do que o alívio.

Em metade do tempo agora, fico terrivelmente preguiçosa, e passo tempo demais deitada.

John diz que não posso perder as forças e me faz tomar óleo de fígado de bacalhau, muitos tônicos e outras coisas, sem contar a cerveja, o vinho e comer as carnes malpassadas.

O querido John, ele me ama muito e odeia me ver doente! Tentei ter uma conversa real e sincera com ele outro dia e dizer o quanto eu gostaria que ele me deixasse ir fazer uma visita ao primo Henry e a Julia.

Mas ele disse que eu não estava em condições de ir, nem conseguiria aguentar depois que chegasse lá; e eu não fiz a minha parte muito bem, pois, antes de terminar, já estava chorando.

Está se tornando um esforço grande para mim pensar direito. Acho que é essa fraqueza nervosa.

E o querido John me tomou nos braços e me carregou para o andar de cima, me deitou na cama, se sentou ao meu lado e leu para mim até cansar minha cabeça.

Ele disse que eu era a querida e o conforto dele, que era tudo que ele tinha, que eu precisava me cuidar e ficar boa por ele.

Ele diz que só eu mesma posso me fazer sair disso, que preciso usar minha força de vontade, meu autocontrole e não deixar nenhuma fantasia boba me desorientar.

Tem um consolo: o bebê está bem, feliz e não precisa ocupar esse quarto com o papel de parede horrendo.

Se nós não o tivéssemos ocupado, essa criança abençoada teria! Que salvamento feliz! Ora, eu não gostaria de ver um filho meu, uma coisinha impressionável, habitando um quarto desses por nada.

Eu nunca tinha pensado nisso, mas que sorte John ter me colocado ali, pois eu aguento muito melhor do que um bebê, sabe?

Claro que não menciono mais esse detalhe para eles, eu sou esperta, mas fico alerta mesmo assim.

Tem coisas naquele papel que ninguém sabe além de mim, nem nunca vai saber.

Atrás da estampa exterior, as formas apagadas ficam mais claras a cada dia.

É sempre a mesma forma, só que muito numerosa.

E é como uma mulher se curvando e se esgueirando por trás daquela estampa. Não gosto nem um pouco. Eu me pergunto... começo a pensar... queria que John me tirasse daqui!

É difícil falar com John sobre o meu caso porque ele é tão sábio, e porque me ama muito.

Mas tentei ontem à noite.

Estava enluarada. A lua brilha forte, assim como o sol.

Odeio vê-la às vezes, ela vem devagar e sempre entra por uma janela ou outra.

John estava dormindo e odiei acordá-lo, por isso fiquei imóvel olhando o luar naquele papel de parede ondulante até ficar assustada.

O PAPEL DE PAREDE AMARELO

A figura apagada por trás pareceu sacudir a estampa, como se quisesse sair.

Levantei-me devagar e fui sentir e ver se o papel *tinha* se mexido, e, quando voltei, John estava acordado.

— O que foi, garotinha? — perguntou ele. — Não saia andando assim. Você vai ficar com frio.

Achei que era uma boa hora para falar e contei que não estava melhorando ali, que desejava que ele me levasse embora.

— Por quê, meu bem? — perguntou ele. — Nosso contrato termina em três semanas, e não vejo como sair antes. Os consertos em casa não estão prontos, e não posso sair da cidade agora. Obviamente, se você estivesse correndo algum perigo, eu poderia e faria, mas você está melhor, querida, quer você veja ou não. Eu sou médico, querida, e eu sei. Você está ganhando peso e cor, seu apetite está melhor, estou bem mais tranquilo em relação a você.

— Não estou pesando mais — falei —, nem um pouquinho. E meu apetite pode estar melhor à noite, quando você está aqui, mas fica pior de manhã, quando você está longe!

— Abençoado seja esse coraçãozinho! — disse ele com um abraço grande. — Pode ficar doente pelo tempo que for! Mas agora vamos aproveitar melhor nosso tempo indo dormir e podemos conversar de manhã!

— E você não vai embora? — perguntei em tom pesaroso.

— Ora, como posso, querida? São só mais três semanas, e então faremos uma viagenzinha de uns dias enquanto Jennie prepara a casa. Realmente, querida, você está melhor!

— Melhor de corpo, talvez... — comecei, e parei na hora, pois ele se sentou ereto e me olhou com uma expressão tão severa e reprovadora que não consegui dizer mais nada.

— Minha querida — disse ele —, eu imploro, pelo meu bem e pelo bem do nosso filho, assim como o seu, que você nunca mais, nem por um instante, permita que essa ideia entre na sua mente!

Não há nada tão perigoso, tão fascinante para um temperamento como o seu. É uma fantasia falsa e tola. Você não confia em mim, como médico, quando falo?

Claro que não falei mais nada sobre isso e nós fomos dormir em pouco tempo. Ele achou que adormeci primeiro, mas não foi assim, e fiquei deitada por horas tentando decidir se aquela estampa da frente e a estampa de trás se moviam juntas ou separadamente.

Em uma estampa assim, na luz do dia, há uma falta de sequência, um desafio à lei, que é uma irritação constante para uma mente normal.

A cor é medonha e instável e irritante, mas a estampa é uma tortura.

Achamos que a dominamos, mas, quando conseguimos acompanhá-la bem, ela dá um salto para trás e volta tudo de novo. Dá um tapa na nossa cara, nos derruba e pisoteia. É como um pesadelo.

A estampa externa é um arabesco florido, que lembra um fungo. Se der para imaginar cogumelos venenosos em corrente, uma sequência interminável de cogumelos, brotando e crescendo com círculos infinitos... ora, isso é algo parecido.

Quer dizer, às vezes!

Há uma peculiaridade evidente nesse papel, uma coisa que ninguém além de mim parece notar, que é o fato de que ele muda conforme a luz.

Quando o sol entra pela janela leste – eu sempre procuro aquele primeiro raio comprido e reto –, ele muda tão rápido que nunca consigo acreditar.

É por isso que sempre o observo.

Sob o luar – a lua brilha a noite toda quando está no céu –, eu não saberia que era o mesmo papel.

À noite, com qualquer tipo de luz, no crepúsculo, à luz de velas, com a luz de um lampião e, pior de tudo, sob o luar, transforma-se em grades! Estou falando da estampa exterior, e a mulher atrás dela fica plenamente visível.

Não percebi por muito tempo o que era que aparecia atrás, aquela estampa desbotada, mas agora tenho certeza de que é uma mulher.

Na luz do dia, ela fica amuada, quieta. Acho que é a estampa que a deixa tão imóvel. É muito intrigante. Faz com que eu fique horas quieta.

Eu me deito muito agora. John diz que é bom para mim, e que é para eu dormir o quanto puder.

De fato, ele começou com o hábito de me fazer me deitar por uma hora após cada refeição.

É um hábito muito ruim, estou convencida, pois eu não durmo, entende?

E isso cultiva a mentira, porque não conto que estou acordada. Ah, não!

O fato é que estou ficando com um pouco de medo do John.

Ele parece esquisito às vezes, e até Jennie está com uma expressão inexplicável.

De vez em quando me ocorre, como uma hipótese científica... que talvez seja o papel!

Eu observei John quando ele não sabia que eu estava olhando, entrei no quarto subitamente com as desculpas mais inocentes e o peguei várias vezes *olhando para o papel!* E Jennie também. Peguei Jennie com a mão nele uma vez.

Ela não sabia que eu estava no quarto, e quando perguntei de um jeito tranquilo, com voz muito baixa, da maneira mais controlada possível, o que ela estava fazendo com o papel... ela se virou como se tivesse sido vista roubando e pareceu bem zangada, e perguntou por que eu tinha dado um susto daqueles nela!

Em seguida, disse que o papel manchava tudo que o tocasse, que ela tinha encontrado manchas amarelas em todas as minhas roupas e nas de John, e que desejava que eu fosse mais cuidadosa!

Isso não pareceu inocente? Mas eu sei que ela estava estudando a estampa, e estou determinada a não deixar ninguém descobrir além de mim!

A vida está bem mais interessante agora do que era. Eu tenho mais a esperar, a ansiar, a assistir. Estou mesmo comendo melhor, e estou mais quieta do que era.

John está satisfeito de me ver melhorar! Ele riu um pouco outro dia e falou que eu parecia estar florescendo apesar do meu papel de parede.

Encerrei o assunto com uma risada. Eu não tinha intenção de dizer para ele que era *por causa* do papel de parede; ele debocharia de mim. Talvez até quisesse me levar embora.

Não quero ir embora agora, até ter descoberto. Mais uma semana e acho que será suficiente.

Estou me sentindo bem melhor! Não durmo muito à noite, pois é interessante ver os desdobramentos; mas durmo bastante durante o dia.

Durante o dia, é cansativo e intrigante.

Sempre há novas manchas nos fungos e novos tons de amarelo nele todo. Não consigo fazer a contagem, apesar de ter tentado conscienciosamente.

É de um amarelo estranhíssimo, o papel de parede! Faz com que eu pense em todas as coisas amarelas que já vi. Não as bonitas, como ranúnculos, mas coisas ruins e desagradáveis que são amarelas.

Mas tem outra coisa no papel de parede: o cheiro! Reparei assim que entrei no quarto, mas com tanto ar e sol, não era tão ruim. Agora, tivemos uma semana de névoa e chuva, e quer as janelas estejam abertas ou não, o cheiro está aqui.

Espalha-se por toda a casa.

Encontro-o pairando na sala de jantar, esgueirando-se na sala de estar, escondendo-se no corredor, esperando-me na escada.

Penetra no meu cabelo.

Mesmo quando vou cavalgar, eu viro a cabeça de repente e surpresa: ali está o cheiro!

É um odor tão peculiar! Passei horas tentando analisá-lo, para descobrir de que era o cheiro.

Não é ruim... no começo, é muito suave, mas é o odor mais sutil e duradouro que já senti.

Nesse clima úmido, é horrível, eu acordo à noite e o encontro pairando sobre mim.

Incomodava-me no começo. Pensei seriamente em botar fogo na casa... para atacar o cheiro.

Mas agora me acostumei. A única coisa que consigo pensar é que é da *cor* do papel! Um cheiro amarelo.

Tem uma marca muito esquisita nessa parede, embaixo, perto do rodapé. Uma listra que contorna o quarto. Passa por trás de todos os móveis, menos a cama, longa, reta, até *borrada*, como se tivesse sido esfregada repetidamente.

Fico me perguntando como foi feita, quem a fez e por que fez. Ela circula e circula e circula... e circula e circula e circula... me deixa tonta!

Eu finalmente descobri uma coisa.

De tanto observar à noite, quando muda muito, eu finalmente descobri.

A estampa da frente *realmente* se move... e não é de se admirar! A mulher atrás dela a sacode!

Às vezes, eu acho que tem muitas mulheres por trás, e às vezes só uma, e ela se rasteja rápido, e o movimento sacode tudo.

Nos pontos muito claros, ela fica imóvel, e nos pontos escuros ela segura as grades e sacode com força.

E ela está o tempo todo tentando atravessar. Mas ninguém poderia atravessar aquela estampa; ela estrangula. Acho que é por isso que tem tantas cabeças.

Elas passam, a estampa as estrangula e as vira de cabeça para baixo e as deixa de olhos brancos!

Se aquelas cabeças fossem cobertas ou removidas, não seria tão ruim.

Acho que aquela mulher sai durante o dia!

E vou explicar o motivo – particularmente, eu a vi!

Eu a vejo por todas as minhas janelas!

É a mesma mulher, eu sei, pois ela está sempre rastejando, e a maioria das mulheres não rasteja à luz do dia.

Eu a vejo naquele caminho longo coberto, rastejando para lá e para cá. Eu a vejo naquelas pérgulas escuras, rastejando por todo o jardim.

Eu a vejo na estrada comprida debaixo das árvores, rastejando, e quando uma carruagem vem, ela se esconde embaixo das amoreiras silvestres.

Eu não a culpo nem um pouco. Deve ser muito humilhante ser vista rastejando à luz do dia!

Eu sempre tranco a porta quando rastejo à luz do dia. Não posso fazer à noite, pois sei que John desconfiaria de alguma coisa na mesma hora.

E John está tão estranho agora que não quero irritá-lo. Eu gostaria que ele fosse para outro quarto! Além do mais, não quero que ninguém veja aquela mulher fora à noite, só eu.

Sempre me pergunto se conseguiria vê-la por todas as janelas ao mesmo tempo.

Mas, por mais rápido que eu me vire, só consigo ver por uma de cada vez.

E apesar de eu sempre a ver, ela *pode* ser capaz de rastejar mais rápido do que posso me virar!

Eu a vi algumas vezes longe, no campo aberto, rastejando rápido como uma sombra de nuvem em vento forte.

Se ao menos a estampa superior pudesse ser tirada de cima da que fica por baixo! Pretendo tentar, aos poucos.

Descobri outra coisa engraçada, mas não vou contar desta vez! Não confio muito nas pessoas.

Só há mais dois dias para tirar esse papel, e acredito que John esteja começando a notar. Não gosto da expressão nos olhos dele.

E o ouvi fazer a Jennie muitas perguntas profissionais sobre mim. Ela teve um relatório ótimo para dar.

Disse que eu durmo muito durante o dia.

John sabe que não durmo muito bem à noite, pois eu fico quieta demais!

Ele me fez vários tipos de perguntas também, e fingiu ser muito amoroso e gentil.

Como se eu não conseguisse ver por trás disso!

Ainda assim, não acho que ele finja, dormindo com esse papel de parede por três meses.

Só interessa a mim, mas tenho certeza de que John e Jennie estão secretamente afetados por ele.

Viva! Hoje é o último dia, mas é suficiente. John vai passar a noite na cidade e não vai sair antes da tardinha.

Jennie queria dormir comigo, a danadinha! Mas falei que eu descansaria melhor à noite sozinha.

Isso foi inteligente, pois não fiquei sozinha! Assim que o luar chegou, e aquela pobre coisinha começou a rastejar e a sacudir a estampa, eu me levantei e corri para ajudá-la.

Eu puxei e ela sacudiu, eu sacudi e ela puxou, e antes de amanhecer tínhamos soltado metros daquele papel.

Uma faixa da altura da minha cabeça percorrendo metade do quarto.

E quando o sol chegou e aquela estampa horrível começou a rir de mim, declarei que terminaria hoje!

Nós vamos embora amanhã, e estão levando toda a minha mobília para deixar as coisas como eram antes.

Jennie olhou para a parede com espanto, mas falei com alegria que fiz por pura raiva da coisa maligna.

Ela riu e disse que não se importaria de ela mesma fazer, mas que eu não devia me cansar.

Como ela se traiu dessa vez!

Mas aqui estou eu, e mais ninguém toca nesse papel além de mim... não *vivo*!

Ela tentou me tirar do quarto, ficou evidente! Mas falei que estava tão tranquilo, vazio e limpo agora que eu estava pensando em me deitar de novo e dormir o máximo que pudesse; que não era para me acordar nem para o jantar. Eu chamaria quando acordasse.

Agora, ela foi embora, assim como os criados, e assim como as coisas, e não sobrou nada além da cama grande pregada no chão com o colchão de lona que encontramos nela.

Vamos dormir no andar de baixo hoje e pegar o barco para casa amanhã.

Gostei do quarto agora que está vazio de novo.

Como aquelas crianças o danificaram!

A cama está bem roída!

Mas preciso trabalhar.

Eu tranquei a porta e joguei a chave no caminho da entrada.

Não quero sair e não quero que ninguém entre até John chegar.

Quero impressioná-lo.

Estou com uma corda aqui que nem Jennie viu. Se aquela mulher sair e tentar fugir, posso amarrá-la!

Mas esqueci que não consigo alcançar alto sem ter em que subir!

A cama *não* se move!

Tentei erguê-la e empurrá-la até ficar exausta, e fiquei com tanta raiva que mordi um pedacinho do canto... mas machucou meus dentes.

Em seguida, arranquei todo o papel que consegui arrancar de pé no chão. Está grudado de um jeito horrível e a estampa adora! Todas aquelas cabeças estranguladas, os olhos bulbosos e os fungos ondulados gritam com desprezo!

Estou ficando zangada a ponto de fazer algo desesperado. Pular pela janela seria um exercício admirável, mas as grades são fortes demais até para tentar.

Além do mais, eu não faria isso. Claro que não. Sei muito bem que um passo desses é inadequado e pode ser mal interpretado.

Eu não gosto nem da *visão* daquelas janelas; há muitas daquelas mulheres rastejando, e elas rastejam tão rápido.

Será que todas saíram do papel de parede, como eu?

Mas estou bem presa agora pela minha corda escondida; ninguém vai *me* levar lá para a estrada!

Acho que vou ter que voltar para trás da estampa quando a noite chegar, e isso é difícil!

É tão agradável estar neste quarto grande e rastejar o tanto quanto eu quiser!

Não quero sair. Não vou, nem se Jennie me pedir.

Pois do lado de fora é preciso rastejar no chão, e tudo é verde em vez de amarelo.

Mas aqui, eu posso rastejar tranquilamente no chão, e meu ombro cabe direitinho naquela mancha na parede, e eu não me perco.

Ora, lá está John, à porta!

Não adianta, meu jovem, você não pode abri-la!

Como ele grita e esmurra!

Agora, está gritando por um machado.

Seria lamentável quebrar aquela linda porta!

— John, querido! — falei com a voz mais gentil do mundo. — A chave está perto dos degraus de entrada, debaixo de uma folha de bananeira!

Isso o silenciou por um breve momento.

Ele disse com voz muito baixa mesmo:

— Abra a porta, minha querida!

— Não posso — falei. — A chave está perto da porta de entrada, debaixo de uma folha de bananeira!

E falei de novo, várias vezes, de forma muito suave e lenta, e falei tanto que ele teve que ir olhar, e a pegou, claro, e entrou. Parou na porta mesmo.

— O que aconteceu? — gritou ele. — Pelo amor de Deus, o que você está fazendo?

Continuei rastejando, mas olhei para ele por cima do ombro.

— Eu finalmente saí — falei —, apesar de você e Jennie! E arranquei a maior parte do papel de parede para você não poder me colocar de volta!

Agora, por que será que aquele homem desmaiou? Mas desmaiou mesmo, e bem no meu caminho pela parede, de forma que tive que rastejar por cima dele todas as vezes!

DAMAS FEROZES

A HISTÓRIA DE UMA HORA

Kate Chopin

✴ 1894 ✴

No espaço de uma hora, uma mulher é subitamente arrebatada por potentes emoções. Agora, finalmente, ela poderia deixar de ser a senhora de alguém e tomar posse de seu nome.

Por saberem que a sra. Mallard sofria de um problema cardíaco, tomaram muito cuidado para lhe contar a notícia da morte de seu marido, abordando-a da maneira mais gentil possível.

Foi sua irmã Josephine quem lhe contou, em frases entrecortadas, dicas veladas que se revelavam nas entrelinhas. Richards, amigo de seu marido, também estava lá, próximo a ela. Ele estava na redação do jornal quando a informação sobre o acidente ferroviário foi recebida, com o nome de Brently Mallard encabeçando a lista de "mortos". Ele apenas esperou a confirmação, vinda por meio de um segundo telegrama, antes de se apressar na tentativa de evitar que qualquer amigo menos sensível e cuidadoso transmitisse a triste mensagem.

Ela não ouviu a notícia como muitas mulheres já o fizeram, com uma incapacidade paralisante de aceitar seu peso. Caiu em prantos no mesmo instante, jogando-se de repente nos braços da irmã com um abandono irrestrito. Quando o pior da angústia passou, ela se recolheu para o quarto, sozinha. Não queria que ninguém a seguisse.

De frente para a janela aberta, havia uma poltrona confortável e espaçosa. Nela, a mulher afundou, pressionada pela exaustão física que assombrava seu corpo e parecia atingir a alma.

Ela conseguia ver na praça diante da casa as copas das árvores balançando com a nova vida primaveril. Um delicioso cheiro de chuva pairava no ar. Na rua abaixo, um vendedor ambulante anunciava suas mercadorias. As notas de um canto fraco e distante alcançavam seus ouvidos, e incontáveis pardais cantavam nos beirais.

Havia trechos de céu azul aparecendo aqui e ali por trás das nuvens que se encontravam e se amontoavam umas sobre as outras no oeste, de frente para a janela.

Ela estava sentada com a cabeça jogada para trás, no encosto almofadado da poltrona, completamente imóvel, exceto quando um soluço chegava à sua garganta e a sacudia, como uma criança que havia chorado até dormir e continuava a soluçar em seus sonhos.

A mulher era jovem, com um rosto calmo e formoso, cujas feições denunciavam repressão e até certa força. No entanto, agora havia um olhar sombrio em seus olhos, fixos em um daqueles pedaços de céu azul. Não era um olhar de reflexão; indicava uma suspensão do pensamento inteligente.

Algo estava se aproximando dela, e ela esperava por isso com temor. O que era? Não sabia. Era muito sutil e intangível para nomear. Contudo, ela o sentia rastejar desde o céu, alcançando-a através de sons, aromas e cores que preenchiam o ar.

Então, seu peito começou a subir e descer depressa. Ela estava começando a reconhecer a coisa que se aproximava para possuí-la, e esforçou-se para impedi-la usando sua força de vontade, tão impotente quanto suas mãos brancas e magras teriam sido. Quando desistiu, uma palavrinha sussurrada escapou de seus lábios entreabertos. Ela repetiu várias e várias vezes, em voz baixa:

— Livre, livre, livre!

O olhar vago e a expressão de terror que haviam surgido desapareceram de seus olhos. Eles se tornaram intensos e brilhantes. A pulsação era rápida, e o sangue que corria por suas veias a aqueceu, relaxando cada centímetro do corpo.

Ela não parou para questionar se era ou não uma alegria monstruosa que a dominava. Uma percepção clara e exaltada permitiu-lhe descartar a sugestão como trivial. Sabia que choraria de novo quando visse as mãos gentis e macias do marido cruzadas no leito de morte; o rosto, que nunca a olhara de outra forma que não com amor, agora estático e pálido e morto. Contudo, visualizou, para além daquele momento amargo, uma longa procissão de anos que viriam e pertenceriam por completo a ela. E a mulher abriu os braços para eles, dando-lhes as boas-vindas.

Ela não viveria para mais ninguém nos próximos anos; viveria para si mesma. Não haveria nenhuma vontade poderosa que se sobreporia à dela naquela persistência desmedida com que homens e mulheres acreditam que têm o direito de impor as próprias vontades a um semelhante. Naquele momento de elucidação, percebeu que, fosse sua intenção boa ou ruim, o ato não pareceria menos criminoso.

E, mesmo assim, ela o havia amado... às vezes. Na maioria delas, não. E de que isso importava?! De que valia o amor, o mistério insolúvel, diante dessa posse de autoafirmação que ela de repente reconheceu como o impulso mais forte de seu ser?

— Livre! Corpo e alma livres! — continuou a sussurrar.

Josephine estava ajoelhada diante da porta fechada, os lábios encostados na fechadura, implorando para entrar.

— Louise, abra a porta! Eu imploro; abra a porta... Você vai adoecer. O que está fazendo, Louise? Pelo amor de Deus, abra a porta.

— Vá embora. Não vou adoecer.

Não mesmo. Ela estava bebendo um elixir de vida através daquela janela aberta.

A imaginação corria solta pelos dias que tinha pela frente. Dias de primavera, de verão e todos os tipos de d... que seriam apenas seus. Fez uma rápida oração, pedindo que sua ... fosse longa. No dia anterior, ainda pensara, temerosa, que a vida p... ser longa.

Devido às importunações da irmã, a mulher se ... e, enfim, abriu a porta. Havia um fervor triunfal em seus o... ela se comportava, de maneira inconsciente, como uma deusa da

A HISTÓRIA DE UMA HORA

vitória. Abraçou a irmã pela cintura, e, juntas, desceram as escadas. Richards as esperava lá embaixo.

Alguém abria a porta da frente com uma chave. Quem entrou foi Brently Mallard, um pouco descomposto pela viagem, carregando, sereno, a mala de mão e o guarda-chuva. Ele estava longe do local do acidente e sequer sabia o que havia acontecido. Ficou surpreso com o grito agudo de Josephine e com o movimento rápido de Richards para impedir que a esposa o visse.

Quando os médicos chegaram, disseram que ela havia morrido do coração: da alegria que mata.

DAMAS FEROZES

JULGADA POR SEUS PARES

Susan Glaspell

✷ 1917 ✷

Duas mulheres acompanham seus maridos em uma investigação de assassinato. Sozinhas na cena do crime, começam a analisar minuciosamente o ambiente. Ao observar pequenos sinais, desenvolvem empatia pela suspeita do homicídio.

Quando Martha Hale abriu a porta corta-vento e sentiu o sopro do vento do norte, correu de volta para pegar seu grande cachecol de lã. Enquanto ela o enrolava às pressas ao redor do pescoço, escandalizada, seus olhos percorreram a cozinha. Não foi algo comum que chamou sua atenção; era provável que fosse mais incomum do que qualquer coisa que já tivesse acontecido no condado de Dickson. Mas o que seus olhos perceberam foi que não era possível sair e deixar a cozinha daquele jeito: a massa do pão estava pronta para ser misturada, e só metade da farinha estava peneirada.

Ela detestava ver as coisas inacabadas, mas estava no meio do processo quando a carroça da cidade havia chegado para buscar o sr. Hale, e então o xerife veio correndo dizer que sua esposa queria que a sra. Hale comparecesse também – acrescentando, com um sorriso, que ele achava que ela estava ficando assustada e queria outra mulher por perto. Portanto, ela largou tudo do jeito que estava.

— Martha! — chamou a voz impaciente do marido. — Não deixe as pessoas esperando aqui no frio.

Mais uma vez, ela abriu a porta corta-vento e, por fim, juntou-se aos três homens e à mulher que esperavam por ela na grande carroça de duas fileiras.

Após se agasalhar, ela lançou outro olhar para a mulher que estava sentada ao seu lado no banco de trás. Ela conhecera a sra. Peters no ano anterior, na feira do condado, e o que se lembrava a respeito dela era que não parecia a esposa do xerife. Era pequena, magra e não tinha uma voz forte. A sra. Gorman, esposa do

JULGADA POR SEUS PARES

xerife antes de Gorman sair e Peters entrar, tinha uma voz que de alguma forma parecia defender a lei em cada palavra. E, embora a sra. Peters não parecesse ser esposa do xerife, Peters compensava parecendo um xerife. Ele era, até certo ponto, o tipo de homem que poderia ser eleito xerife: um homem pesado, com a voz grossa e que era cordial sobretudo com aqueles que cumpriam a lei, como se quisesse deixar claro que sabia a diferença entre os criminosos e os inocentes. E, no mesmo instante, de repente, veio à mente da sra. Hale que aquele homem, que era tão agradável e animado com todos, estava indo para a casa dos Wright desempenhar seu papel de xerife.

— O interior não é muito agradável nessa época do ano — comentou a sra. Peters, por fim, como se achasse que deveriam conversar tanto quanto os homens.

A sra. Hale mal terminou de responder, pois haviam acabado de subir uma pequena colina e agora conseguiam enxergar a casa dos Wright, e vê-la não lhe deu a menor vontade de falar. Aquela manhã fria de março parecia muito solitária. Sempre fora um lugar de aparência solitária. Ficava em um vale, e os choupos ao redor pareciam árvores solitárias. Os homens observavam o local e conversavam sobre o que havia acontecido. O procurador do condado estava inclinado para um lado da carroça e olhava fixamente para a casa enquanto se aproximavam.

— Fico feliz por você ter vindo comigo — disse a sra. Peters, nervosa, quando as duas mulheres começaram a seguir os homens pela porta da cozinha.

Mesmo depois de ter colocado o pé na soleira e a mão na maçaneta, Martha Hale teve por um momento a sensação de que não conseguiria atravessar a porta. E o motivo que a impedia de atravessar para o outro lado parecia ser o fato de nunca ter feito isso antes. Diversas vezes, pensou: *Eu deveria ir à casa de Minnie Foster*, pois ainda pensava nela como Minnie Foster, embora por

✳ 64 ✳

vinte anos ela tivesse sido a sra. Wright. Contudo, sempre havia algo para fazer, e Minnie Foster deixava seus pensamentos. Porém *agora* ela conseguiu vir.

Os homens foram até o fogão a lenha. As mulheres ficaram juntas, perto da porta. O jovem Henderson, procurador do condado, virou-se e disse:

— Venham até o fogo, senhoras.

A sra. Peters deu um passo à frente, então parou.

— Não estou... com frio — disse ela.

Sendo assim, as duas mulheres permaneceram junto à porta, a princípio, sequer olhando ao redor da cozinha.

Os homens conversaram por um minuto sobre como fora bom o xerife ter enviado seu vice naquela manhã para acender o fogo para eles, e então o xerife Peters recuou, afastando-se do fogão a lenha, desabotoou o casaco e apoiou as mãos na mesa da cozinha, de maneira que parecia tornar oficial o início do assunto que tinham a tratar.

— Então, sr. Hale — disse ele, com uma voz semioficial —, antes de começarmos, diga ao sr. Henderson exatamente o que viu quando veio aqui na manhã de ontem.

O promotor do condado estava dando uma olhada na cozinha.

— Aliás — lembrou ele —, alguma coisa está fora lugar? — Ele se voltou para o xerife. — As coisas estão exatamente do mesmo jeito que estavam ontem, quando o senhor foi embora?

Peters olhou do armário para a pia; e da pia para uma cadeirinha de balanço velha ao lado da mesa da cozinha.

— Está tudo igual.

— Alguém devia ter ficado aqui ontem — disse o procurador do condado.

— Ah... ontem — observou o xerife, com um pequeno gesto indicando que o dia anterior era muito mais do que conseguia suportar pensar. — Tive que mandar Frank ao Morris Center por

JULGADA POR SEUS PARES

causa daquele homem que ficou doido... Vou te contar, ontem eu estava muito ocupado. Sabia que você voltaria de Omaha hoje, George, e contanto que eu cuidasse de tudo aqui sozinho...

— Bom, sr. Hale — disse o promotor do condado, deixando de lado as explicações do homem —, conte exatamente o que aconteceu quando o senhor veio aqui na manhã de ontem.

A sra. Hale, ainda apoiada na porta, estava com uma sensação de angústia, como uma mãe prestes a ouvir o filho contar uma história. Com muita frequência, Lewis divagava e confundia os acontecimentos ao fazê-lo. Ela esperava que ele fizesse o relato de maneira direta e clara, sem dizer nada desnecessário, o que tornaria as coisas mais difíceis para Minnie Foster. Ele não começou de imediato, e ela percebeu que ele parecia um pouco esquisito, como se estar naquela cozinha e ter que contar o que havia visto ali na manhã anterior quase o deixasse enjoado.

— Sr. Hale? — O procurador do condado chamou a atenção do homem.

— O Harry e eu estávamos indo para a cidade com um carregamento de batatas — o marido da sra. Hale começou a explicar.

Harry era o filho mais velho da sra. Hale. Ele não estava com eles no momento, isso porque aquelas batatas nunca chegaram à cidade no dia anterior, então ele teve que levá-las naquela manhã, e por isso estava ausente quando o xerife passou para dizer que queria que o sr. Hale o acompanhasse até a casa dos Wright e contasse para o promotor do condado o que acontecera ali, de modo que ele pudesse explicar de maneira mais visual. Com todas as outras emoções da sra. Hale, surgiu o medo de que agora, talvez, Harry não estivesse vestido com roupas quentes o bastante; nenhum deles havia percebido a força do vento do norte.

— Estávamos seguindo por essa estrada — continuou Hale, com um movimento de mão na direção da estrada pela qual tinham acabado de passar —, e quando vimos a casa, falei para o Harry:

✳ 66 ✳

"Vou ver se consigo convencer o John Wright a instalar um telefone na casa dele". Veja bem — explicou para Henderson —, a menos que eu consiga encontrar alguém para solicitar um comigo, eles não vão vir até aqui, a não ser por um preço que eu não consiga pagar. Já tinha falado disso com o Wright, mas ele não deu ouvidos, dizendo que as pessoas falavam demais, de qualquer forma, e que tudo o que ele queria era paz e sossego... Acho que você sabe o quanto ele mesmo falava isso. Mas pensei que talvez se eu fosse até a casa e falasse sobre isso na frente da esposa dele, dissesse que todas as mulheres gostavam de telefones e que nesse trecho solitário da estrada seria uma coisa boa... Bom, falei para o Harry que era isso o que eu ia dizer... Apesar de ter dito ao mesmo tempo que não sabia se os desejos da esposa dele faziam muita diferença para o John...

Ali estava ele... dizendo coisas que não precisava mencionar! A sra. Hale tentou chamar a atenção do marido, mas, por sorte, o promotor do condado o interrompeu:

— Vamos falar disso um pouco mais tarde, sr. Hale. Quero voltar nesse assunto, mas agora eu estou mais preocupado em saber o que aconteceu quando o senhor chegou aqui.

Ao recomeçar desta vez, foi de maneira muito deliberada e cuidadosa:

— Não vi nem ouvi nada. Bati na porta, e estava tudo quieto aqui dentro. Eu sabia que eles deviam estar acordados... Já passava das oito horas. Então bati de novo, mais alto, e pensei que alguém havia dito "pode entrar". Eu não tinha certeza... Ainda não tenho. Mas abri a porta... essa porta — ele apontou na direção da porta onde as duas mulheres se encontravam —, e ali, naquela cadeira de balanço — apontou novamente — estava a sra. Wright.

Todos na cozinha olharam para a cadeira de balanço. Passou pela mente da sra. Hale que aquela cadeira não tinha nada a ver com Minnie Foster... Pelo menos não com a Minnie Foster de vinte anos antes. Ela tinha um tom desbotado de vermelho, com pernas de madeira, e faltava a do meio, o que fazia com que a cadeira tombasse para um lado.

— Como ela... estava? — interrogou o procurador do condado.

— Então — disse Hale —, parecia... estranha.

— Como assim... estranha?

Ao perguntar isso, ele pegou um caderno e um lápis. A sra. Hale não gostou de ver aquele lápis. Ela manteve os olhos fixos no marido, como se quisesse impedi-lo de dizer coisas desnecessárias que iriam para aquele caderno e causariam problemas.

Hale tomou cuidado ao escolher as palavras, como se o lápis também o tivesse afetado.

— Bom, como se ela não soubesse o que fazer em seguida. E meio que... arrumada.

— Como você acha que ela se sentiu com a sua chegada?

— Ora, acho que ela não se importou... de forma alguma. Ela não prestou muita atenção. Falei: "Como vai, sra. Wright? Está frio, né?". E ela respondeu: "Está?"... e continuou a mexer no avental. Bem, isso me deixou surpreso. Ela não perguntou se eu queria me aquecer no fogo ou me sentar, só ficou sentada ali, sem sequer olhar para mim. E então eu disse: "Queria falar com o John". E ela... riu. Acho que era uma risada. Pensei em Harry e na carroça lá fora, então falei, um pouco mais brusco: "Posso falar com o John?". Ela retrucou, em uma voz meio monótona: "Não". "Ele não está em casa?", eu perguntei. E aí ela olhou para mim. "Está", ela respondeu, "ele está em casa". "Então por que eu não posso vê-lo?", eu perguntei pra ela, sem paciência naquele momento. "Porque ele está morto", respondeu ela no mesmo tom calmo e monótono... e voltou a mexer no avental. "Morto?", perguntei, tipo quando você não consegue absorver o que ouviu. Ela só assentiu, sem demonstrar qualquer tipo de emoção, mas balançando pra frente e pra trás. Então eu insisti, sem saber *o que* falar: "Por quê...? Onde ele está?". Ela só apontou para as escadas... desse jeito — disse ele, apontando para o quarto que ficava no andar de cima. — Fiquei de pé, pensando em subir lá eu mesmo. Mas, a essa altura, eu... não sabia o que fazer. Andei de um lado para o outro, repetindo: "Por quê? Como ele morreu?". E ela disse: "Morreu com uma corda em volta do pescoço"... e continuou a mexer no avental.

Hale parou de falar e ficou olhando para a cadeira de balanço, como se ainda estivesse vendo a mulher sentada ali na manhã anterior. Ninguém disse nada; era como se todos a enxergassem também.

— E o que o senhor fez depois disso? — O procurador do condado enfim quebrou o silêncio.

— Fui lá fora e chamei o Harry. Achei que talvez... eu precisasse de ajuda. Mandei o Harry entrar, e subimos as escadas. — A voz dele caiu para quase um sussurro. — E lá estava ele... pendurado em cima...

— Acho que é melhor você ir lá para cima — interrompeu o promotor do condado — para poder apontar os lugares. Continue com o resto da história.

— Bom, meu primeiro pensamento foi tirar aquela corda. Parecia...

Ele parou de falar, o rosto se contorcendo.

— Mas o Harry, ele foi até o homem e me disse: "Não, ele já está morto, é melhor a gente não tocar em nada". Então nós descemos. Ela ainda estava sentada daquele mesmo jeito. Perguntei: "Alguém já foi avisado?". E ela disse: "Não", sem preocupação nenhuma na voz. "Quem fez isso, sra. Wright?", o Harry perguntou. Ele falou com ela de um jeito objetivo, então ela parou de mexer no avental e disse: "Eu não sei". "A senhora *não sabe*?", insistiu o Harry. "A senhora não estava dormindo na cama com ele?" "Estava", foi o que ela disse, "mas eu estava do outro lado". Então o Harry falou: "Alguém colocou uma corda no pescoço dele e o estrangulou, e a senhora não acordou?". "Não acordei", foi o que ela disse. Deve ter parecido que a gente não entendia como aquilo podia ter acontecido, então um minuto depois ela falou: "Meu sono é pesado". O Harry ia fazer mais perguntas, mas eu disse que talvez não fosse da nossa conta. Talvez devêssemos deixar que ela contasse a versão dela primeiro para o legista ou para o xerife. Então o Harry foi para a estrada principal o mais rápido que conseguiu... até a casa dos River, onde tem um telefone.

— E o que ela fez quando soube que você tinha ido procurar o legista? — O procurador estava com o lápis na mão, pronto para escrever.

— Ela mudou daquela cadeira para essa aqui... — Hale apontou para uma cadeirinha no canto — ... e só ficou sentada ali com as mãos juntas, olhando para baixo. Tive a sensação de que deveria puxar conversa, então falei que tinha vindo ver se o John queria instalar um telefone na casa. E aí ela começou a rir, então parou e olhou para mim... assustada.

Ao ouvir o lápis se movendo, o homem que contava a história ergueu o olhar.

— Sei lá... talvez não estivesse assustada — acrescentou depressa. — Não quero afirmar que era isso que ela estava sentindo. O Harry voltou logo depois, e aí o dr. Lloyd chegou, e depois o senhor, sr. Peters, e acho que isso é tudo o que sei e vocês não.

Ele disse aquela última frase com alívio e se mexeu de leve, como se estivesse relaxando. Todos se remexeram um pouco. O procurador do condado caminhou em direção à escadaria.

— Acho que vamos subir primeiro... depois ir para o celeiro e dar uma volta por lá.

Ele fez uma pausa e olhou ao redor da cozinha.

— Tem certeza de que não tem nada de importante aqui? — perguntou o procurador para o xerife. — Nada que... indique o motivo?

O xerife olhou ao redor também, como se quisesse se convencer mais uma vez.

— Não tem nada aqui além de utensílios de cozinha — retrucou ele, com uma risadinha pela insignificância daqueles objetos.

O procurador do condado estava encarando o armário... uma estrutura peculiar e desajeitada, metade despensa e metade guarda-louça, a parte superior construída dentro da parede, e a inferior sendo apenas um armário de cozinha antiquado. Como se aquela estranheza o atraísse, ele pegou uma cadeira e abriu a parte de cima para olhar lá dentro. Depois de um instante, tirou a mão, que havia ficado pegajosa.

— Uma bela bagunça — comentou ele, ressentido.

As duas mulheres haviam se aproximado, e agora quem falava era a esposa do xerife:

— Ah... as frutas dela. — Ela olhou para a sra. Hale em busca de uma compreensão solidária.

Ela se voltou para o procurador do condado e explicou:

— Ela ficou preocupada com elas por causa do frio que fez ontem à noite. Disse que a lareira ia apagar e que os potes poderiam estourar.

O marido da sra. Peters começou a rir.

— Bem, será possível entender as mulheres? Detida por assassinato e preocupada com as conservas!

O jovem procurador apertou os lábios.

— Acho que antes de terminarmos isso aqui ela pode ter algo mais sério com o que se preocupar.

— Ah, sim — concordou o marido da sra. Hale, com uma superioridade bem-humorada —, as mulheres estão acostumadas a se preocupar com bobagens.

As duas mulheres se aproximaram um pouco mais. Nenhuma delas deu um pio. O procurador do condado de repente pareceu se lembrar das boas maneiras... e a pensar em seu futuro.

JULGADA POR SEUS PARES

— Ainda assim — disse ele, com o galanteio de um jovem político —, apesar de todas as preocupações delas, o que seria de nós sem as mulheres?

As mulheres não disseram nada nem se deixaram levar por isso. Ele foi até a pia e começou a lavar as mãos. Virou-se para enxugá-las no pano de prato... procurando um canto limpo nele.

— Panos de prato sujos! Ela não desempenhava bem o papel de dona de casa, não é mesmo, senhoras?

Ele chutou algumas panelas sujas embaixo da pia.

— Tem muita coisa para fazer em uma fazenda — rebateu a sra. Hale, rígida.

— Com certeza. E ainda assim... — ele fez uma breve reverência para ela — ... eu sei que algumas casas de fazenda no condado de Dickson não têm panos de prato desse jeito. — Ele endireitou as costas para expor sua altura de novo.

— Esses panos de prato ficam sujos muito rápido. As mãos dos homens nem sempre estão limpas do jeito certo.

— Ah, leal ao seu sexo, dá para ver. — Ele riu. Quando parou, lhe lançou um olhar penetrante. — Mas a senhora e a sra. Wright eram vizinhas. Suponho que fossem amigas também.

Martha Hale balançou a cabeça.

— Conversei bem pouco com ela nos últimos tempos. Não venho nessa casa... já faz mais de um ano.

— E por quê? A senhora não gostava dela?

— Eu gostava bastante dela — respondeu com coragem. — As esposas dos fazendeiros vivem ocupadas, sr. Henderson. E então... — Ela olhou ao redor da cozinha.

— O quê? — incentivou ele.

— Nunca pareceu um lugar muito alegre — disse ela, mais para si mesma do que para ele.

— Não mesmo — concordou ele. — Acredito que ninguém chamaria de alegre. Eu não diria que ela tinha o instinto de cuidar da casa.

— Bom, acho que o Wright também não — murmurou ela.

— Quer dizer que eles não se davam muito bem? — perguntou ele no mesmo instante.

— Não. Não quis dizer nada — respondeu ela com determinação. Ao afastar-se um pouco dele, acrescentou: — Só não acho que nenhum lugar fosse alegre com a presença de John Wright.

— Gostaria de falar com a senhora sobre isso um pouco mais tarde, sra. Hale — disse ele. — Estou ansioso para ver as coisas lá em cima agora.

Ele foi em direção à escadaria, seguido pelos dois homens.

— Algum problema se a sra. Peters mexer em algumas coisas? — questionou o xerife. — Ela ficou de levar algumas roupas para a sra. Wright, sabe... e mais algumas coisinhas. Saímos muito depressa ontem.

O procurador do condado lançou um olhar para as duas mulheres que tinham ficado a sós com os utensílios da cozinha.

— Sim... sra. Peters — disse ele, o olhar fixo na mulher que não era a sra. Peters, a fazendeira que estava atrás da esposa do xerife. — É claro, a sra. Peters é uma de nós — acrescentou ele, de maneira a lhe confiar responsabilidade. — E fique de olho, sra. Peters, em qualquer coisa que possa ser útil. Nunca se sabe; as senhoras, mulheres, podem encontrar uma pista sobre o motivo... e é disso que precisamos.

O sr. Hale esfregou o rosto como um apresentador que se prepara para fazer uma piada.

— Mas será que as mulheres saberiam que é uma pista se a encontrassem? — questionou. E, após falar isso, seguiu os outros pela porta que dava na escadaria.

JULGADA POR SEUS PARES

As mulheres ficaram imóveis e em silêncio, escutando os passos, primeiro escada acima e depois no cômodo acima delas.

E, depois, foi como se estivessem se libertando de uma sensação ruim. A sra. Hale começou a arrumar as panelas sujas embaixo da pia, as mesmas que o chute desdenhoso do promotor havia bagunçado.

— Odiaria que homens entrassem na minha cozinha — resmungou ela, irritada —, bisbilhotando e criticando.

— Claro que não passa do dever deles — disse a esposa do xerife, com seu modo tímido de concordar.

— Tudo bem que é o dever deles — respondeu a sra. Hale, sem cerimônias —, mas acho que aquele vice-xerife que veio acender o fogo pode ter feito isso. — Ela deu um puxão no pano de prato. — Queria ter pensado nisso antes! Parece maldade falar sobre ela não ter arrumado as coisas sendo que teve que sair com tanta pressa.

Ela olhou ao redor da cozinha. Decerto, não estava "um brinco". Seu olhar estava fixo em um pote de açúcar numa prateleira baixa. O pote de madeira estava destampado, e ao lado dele havia um saco de papel... meio cheio.

A sra. Hale foi na direção dele.

— Ela estava enchendo esse pote — disse para si mesma... devagar.

Ela pensou na farinha que ficara espalhada na cozinha em sua casa, apenas metade peneirada. Havia sido interrompida e deixara as coisas pela metade. O que havia interrompido Minnie Foster? Por que essa tarefa ficara pela metade? Ela fez um movimento que deu a entender que terminaria o trabalho - coisas inacabadas sempre a incomodavam -, mas então olhou ao redor e viu que a sra. Peters a observava... e não queria que ela tivesse a sensação de que Minnie havia começado a fazer algo e... por algum motivo... não terminara.

— Uma pena o que aconteceu com as frutas dela — comentou. Em seguida, foi na direção do armário que o procurador do condado

✳ 74 ✳

havia aberto e subiu na cadeira, murmurando: — Tomara que não tenha estourado tudo.

A visão foi muito lamentável, mas ela disse por fim:

— Tem uma que ainda está boa. — Ela segurou a compota em direção à luz. — E é de cereja. — Deu mais uma olhada. — Acredito que seja a única.

Com um suspiro, desceu da cadeira, foi até a pia e limpou o pote.

— Ela vai ficar muito triste, depois de todo o trabalho duro no clima quente. Eu me lembro da tarde em que plantei minhas cerejas no verão passado.

Ela colocou o pote na mesa e, com outro suspiro, foi se sentar na cadeira de balanço. Mas não se sentou. Algo a impediu de se sentar naquela cadeira. Ela se endireitou, deu um passo para trás e, meio de lado, continuou olhando para ela, visualizando a mulher que estivera ali "mexendo no avental".

A voz fraca da esposa do xerife interveio:

— Tenho que pegar umas coisas no armário do quarto da frente. — Ela abriu a porta do outro cômodo, começou a entrar e recuou. — A senhora vem comigo, sra. Hale? — perguntou, nervosa.

— Poderia... poderia me ajudar a trazer tudo.

Elas logo estavam de volta; o frio rigoroso daquele quarto fechado fez com que não se demorassem.

— Minha nossa! — exclamou a sra. Peters, largando as coisas sobre a mesa e indo depressa até o fogão.

A sra. Hale ficou observando as roupas que a mulher, detida na cidade, disse que queria.

— O Wright era um sovina! — exclamou ela, segurando uma saia preta surrada que apresentava muitos remendos. — Talvez seja por isso que ela tenha se isolado tanto. Suponho que tenha pensado que não se encaixava; e não dava para aproveitar as coisas quando nos sentimos desleixadas. Ela usava roupas bonitas e era animada...

quando era Minnie Foster, uma das moças da cidade que cantava no coral. Mas isso... ah, isso foi há vinte anos.

Com um cuidado até meio carinhoso, ela dobrou as roupas desgastadas e as empilhou em um canto da mesa. Então, olhou para a sra. Peters, e alguma coisa no olhar da mulher a deixou irritada.

Ela não liga, disse para si mesma. *Não faz muita diferença para ela se Minnie Foster tinha roupas bonitas quando era jovem ou não.*

Depois, olhou outra vez, mas não estava tão certa disso; na verdade, em nenhum momento tinha certeza a respeito da sra. Peters. Ela tinha aquele jeito retraído, mas seus olhos pareciam enxergar as coisas de maneira muito profunda.

— Era só isso que precisava pegar? — perguntou a sra. Hale.

— Não — respondeu a esposa do xerife. — Ela disse que queria o avental. Um pedido bem peculiar — comentou ela, daquele jeitinho nervoso —, já que não tem muita coisa com o que dá para se sujar na cadeira, só Deus sabe. Mas acredito que seja só para ela se sentir mais confortável. Quando se está acostumada a usar um avental... Ela disse que ficavam na gaveta de baixo desse armário. Isso... estão aqui. E também pediu o xale que sempre ficava pendurado na porta que dá para a escadaria.

Ela pegou o xale cinza pequeno que estava atrás da porta que dava para o andar de cima e ficou olhando para ele por um minuto.

De repente, a sra. Hale deu um passo rápido em direção à outra mulher.

— Sra. Peters!

— Sim, sra. Hale?

— Acha... que foi ela?

Um olhar assustado obscureceu a outra coisa que havia nos olhos da sra. Peters.

— Ah, não sei — disse ela numa voz que parecia fugir do assunto.

— Bem, eu não acho que foi ela — afirmou a sra. Hale com firmeza. — Pedindo um avental e o xale. Preocupada com as compotas...

✳ 76 ✳

— O sr. Peters disse que... — Passos foram ouvidos no cômodo de cima. Ela fez uma pausa, olhou para cima e então prosseguiu, em voz baixa: — O sr. Peters disse que... isso a coloca em uma posição difícil. O sr. Henderson fala de um jeito bastante sarcástico e vai zombar dela dizendo que ela não... acordou.

Por um momento, a sra. Hale não disse nada. Mas, então:

— Bem, acho que John Wright não acordou... quando apertaram aquela corda no pescoço dele — murmurou.

— Não, é *estranho*. — A sra. Peters inspirou fundo. — Eles acreditam que é um jeito tão... esquisito de se matar um homem.

Ela começou a rir; com o som da risada, parou de repente.

— Foi justo o que o sr. Hale disse — comentou a sra. Hale, com uma voz determinada e natural. — Havia uma arma na casa. É isso o que ele não consegue entender.

— O sr. Henderson disse, quando estava saindo, que o que precisavam para o caso era de um motivo. Alguma coisa que demonstrasse raiva... ou um sentimento repentino.

— Bom, não estou vendo nenhum sinal de raiva por aqui — replicou a sra. Hale. — Eu não... — Ela parou de falar, como se sua mente tivesse esbarrado em algo.

Os olhos dela foram parar no pano de prato jogado no meio da mesa da cozinha. Devagar, foi na direção dele. Metade estava limpa, mas a outra estava um desastre. Os olhos se voltaram devagar, quase sem querer, para o pote de açúcar e o saco meio vazio ao lado dele. Coisas que começaram... e que não foram terminadas.

Um tempo depois, ela recuou e disse, como que para se eximir:

— Será que estão encontrando alguma coisa lá em cima? Espero que lá esteja um pouco mais arrumado, sabe? — Ela fez uma pausa, e um sentimento se acumulou em seu peito. — Parece um tanto *traiçoeiro*: eles a prendem na cidade e vêm para cá fazer com que sua própria casa se volte contra ela!

— Mas, sra. Hale — argumentou a esposa do xerife —, a lei é a lei.

— É mesmo — respondeu a sra. Hale de forma breve.

Então, virou-se para o fogão a lenha, dizendo algo sobre o fogo não ser grande coisa. Mexeu nele um pouquinho e, quando se endireitou, falou com agressividade:

— A lei é a lei... e um fogão ruim é um fogão ruim. Como é que se cozinha nisso?

E apontou com um atiçador para a guarnição quebrada. Ela abriu a porta do forno e começou a falar o que achava dele. Porém, foi engolida pelos próprios pensamentos, imaginando o que significaria, ano após ano, ter aquele fogão para cozinhar. Só de pensar em Minnie Foster tentando assar algo naquele forno... e de nunca ter ido até a casa dela para vê-la...

Ela ficou surpresa ao ouvir a sra. Peters dizer:

— As pessoas ficam desanimadas... e perdem o entusiasmo.

A esposa do xerife olhou do fogão para a pia... da pia para o balde de água que havia sido trazido lá de fora. As duas mulheres ficaram em silêncio, e acima delas havia os passos dos homens que procuravam evidências contra a mulher que trabalhara naquela cozinha. Aquele olhar de ver as coisas, de enxergar uma coisa através de outra, estava nos olhos da esposa do xerife. Quando a sra. Hale falou de novo com ela, foi de maneira suave:

— É melhor afrouxar suas roupas, sra. Peters. Desse jeito, não vamos ficar com o corpo todo dormente quando sairmos.

A sra. Peters foi até o fundo do cômodo para pendurar a capa de pele que estava usando. Um pouco depois, exclamou:

— Nossa, ela estava remendando uma colcha. — E ergueu uma grande cesta de costura com uma pilha alta de remendos.

A sra. Hale espalhou alguns pela mesa.

— É um padrão de madeira — disse ela, juntando vários deles. — Bonito, não é?

Estavam tão entretidas com a colcha que não ouviram os passos na escada. Quando a porta se abriu, a sra. Hale estava dizendo:

— Será que ela ia costurar a colcha ou só dar um nó?

O xerife ergueu as mãos.

— Querem saber se ela ia costurar a colcha ou só dar um nó!

Os homens deram risada dos modos das mulheres, aqueceram as mãos no fogo, e em seguida o procurador do condado disse, de forma brusca:

— Bem, vamos direto para o celeiro para esclarecer isso.

— Não estou vendo nada de engraçado — disse a sra. Hale, ressentida, depois que a porta de fora se fechou atrás dos três homens. — Ocupamos nosso tempo com coisas pequenas enquanto esperamos que eles encontrem as evidências. Não vejo motivo para rir disso.

— É claro que eles têm coisas muito importantes em mente — ponderou a esposa do xerife em tom de desculpas.

Elas voltaram a inspecionar os remendos da colcha. A sra. Hale estava olhando para a costura firme e uniforme, preocupada com os pensamentos da mulher que havia costurado, quando ouviu a esposa do xerife dizer, num tom estranho:

— Ora, olhe para esse.

Ela se virou para pegar o remendo que a mulher estava lhe entregando.

— A costura — disse a sra. Peters, meio perturbada. — Todas as outras estavam bonitas e uniformes... mas essa aqui... Ora, parece que ela não sabia o que estava fazendo!

Os olhos delas se encontraram, e alguma coisa ganhou vida, passando entre elas. Então, como que com esforço, pareceram se afastar uma da outra. Por um momento, a sra. Hale ficou ali, as mãos juntas sobre aquela costura, que era tão diferente de todas as outras. Em seguida, puxou um nó e desfez os fios.

— O que está fazendo, sra. Hale? — perguntou a esposa do xerife, assustada.

— Só tirando um ponto ou dois que não foram muito bem costurados — disse a sra. Hale suavemente.

JULGADA POR SEUS PARES

— Acho que nós não devíamos mexer em nada — argumentou a sra. Peters, um pouco desamparada.

— Só vou terminar essa parte — respondeu a sra. Hale, ainda naquele estilo suave e pragmático.

Ela enfiou a linha na agulha e começou a substituir a costura ruim pela boa. Por um momento, costurou em silêncio. E então, naquela voz baixa e tímida, ouviu:

— Sra. Hale!

— Sim, sra. Peters?

— Por que acha que ela estava tão... nervosa?

— Ah, *eu* não sei — respondeu a sra. Hale, como se deixasse para lá algo que não era importante o suficiente para se gastar muito tempo conversando a respeito. — Não sei nem se ela estava... nervosa. Faço costuras terríveis quando estou cansada.

Ela cortou um fio e, pelo canto do olho, observou a sra. Peters. O rosto pequeno e magro da esposa do xerife parecia ter se contraído. Os olhos tinham aquela expressão de quem estava espiando alguma coisa. Contudo, no instante seguinte, ela se mexeu, e disse naquela voz fraca e indecisa:

— Bom, preciso guardar essas roupas. Talvez eles terminem mais cedo do que imaginamos. Onde será que tem um pedaço de papel... e um barbante?

— Talvez naquele armário — sugeriu a sra. Hale, depois de dar uma olhada ao redor.

Um pedaço da costura caótica permaneceu intacta. Com a sra. Peters de costas para ela, Martha Hale analisou bem aquele pedaço, comparando-o com a costura caprichosa e precisa dos outros. A diferença era surpreendente. Segurar aquele pedaço a fazia se sentir esquisita, como se os pensamentos distraídos da mulher, que naquele momento deviam estar voltados para a tentativa de tentar se acalmar, estivessem se comunicando com ela.

A voz da sra. Peters a tirou do transe.

SUSAN GLASPELL

— Tem uma gaiola de pássaros aqui — disse ela. — A sra. Wright tinha pássaros, sra. Hale?

— Não sei se ela tinha ou não. — Ela se virou para olhar a gaiola que a sra. Peters segurava. — Fazia muito tempo que eu não vinha aqui. — Soltou um suspiro. — Veio um homem por aqui no ano passado que estava vendendo canários bem baratinho... mas não sei se ela comprou um. Talvez tenha comprado. Ela costumava cantar muito bem.

A sra. Peters olhou ao redor da cozinha.

— É meio estranho pensar em um pássaro aqui. — Ela deu uma meia risada... tentando se segurar. — Mas deve ter tido um... do contrário, por que teria uma gaiola? O que será que aconteceu com ele?

— Talvez o gato tenha comido — sugeriu a sra. Hale, retomando a costura.

— Não, ela não tinha um gato. Ela tinha aquela sensação que algumas pessoas têm com gatos... sente medo deles. Quando a levaram para nossa casa ontem, meu gato entrou no quarto, e ela ficou bem transtornada e pediu para eu tirar ele de lá.

— Minha irmã Bessie era desse jeito. — A sra. Hale riu.

A esposa do xerife não respondeu. O silêncio fez a sra. Hale dar meia-volta. A sra. Peters estava analisando a gaiola.

— Olhe essa portinha — disse ela, devagar. — Está quebrada. Uma dobradiça foi arrancada.

A sra. Hale se aproximou.

— Parece que alguém foi meio... bruto com ela.

Mais uma vez, seus olhos se encontraram... surpresos, questionadores, apreensivos. Por um momento, nenhuma delas disse nada nem se mexeu. Até que a sra. Hale, virando-se, disse bruscamente:

— Se for para encontrarem alguma evidência, que façam isso logo. Não gosto daqui.

✳ 81 ✳

— Mas fico muito feliz por ter vindo comigo, sra. Hale. — A sra. Peters colocou a gaiola em cima da mesa e se sentou. — Seria solitário para mim... ficar aqui sozinha.

— Seria mesmo, não é? — concordou a sra. Hale, com certa naturalidade em sua voz determinada. Ela havia pegado a costura, mas então a deixou cair no colo e murmurou em um tom diferente: — Mas vou dizer o que eu queria *mesmo*, sra. Peters. Queria ter vindo aqui às vezes quando ela estava. Queria... ter vindo.

— Mas a senhora estava muito ocupada, sra. Hale. Com a sua casa... e os seus filhos.

— Eu poderia ter vindo — retrucou a sra. Hale. — Eu me afastei porque aqui não era um lugar alegre... e por isso mesmo deveria ter vindo. Eu... — ela olhou ao redor — ... nunca gostei daqui. Talvez por ficar em um vale e por não ser possível ver a estrada. Não sei o que é, mas é e sempre foi um lugar solitário. Queria ter vindo ver Minnie Foster às vezes. Agora dá para ver... — Ela não concluiu o pensamento.

— Bom, não deveria se culpar — aconselhou a sra. Peters. — De alguma forma, apenas não conseguimos ver como é a vida das outras pessoas... até que alguma coisa aconteça.

— Não ter filhos dá menos trabalho — refletiu a sra. Hale depois de um instante de silêncio. — Mas também torna a casa mais quieta... e Wright trabalhava o dia inteiro... e ela não tinha companhia quando ele não vinha. A senhora conheceu John Wright, sra. Peters?

— Não o suficiente. Eu o vi na cidade. Dizem que era um bom homem.

— Sim... era bom — admitiu a vizinha de John Wright, sombria. — Ele não bebia e cumpria sua palavra tão bem quanto a maioria das pessoas, acredito, e pagava suas dívidas. Mas ele era um homem severo, sra. Peters. Só de passar o tempo com ele... — Ela se interrompeu, um calafrio percorrendo seu corpo. — Devia ser como um vento forte que perfura até os ossos. — Seu olhar recaiu sobre a gaiola na mesa à frente, e ela acrescentou, quase com amargura:

— Acho que ela ia querer ter um pássaro, sim!

De repente, ela se inclinou para a frente, analisando a gaiola com atenção.

— Mas o que será que aconteceu?

— Não faço ideia — respondeu a sra. Peters. — Pode ter ficado doente e morrido.

Mas, depois de dizer isso, ela estendeu a mão e abriu a portinha quebrada. As duas mulheres observaram, como se de alguma forma estivessem detidas por ela.

— A senhora não a... conhecia? — perguntou a sra. Hale, com um tom mais gentil na voz.

— Não até a levarem para casa ontem — respondeu a esposa do xerife.

— Ela... pensando bem, ela mesma era como um pássaro. Muito doce e bonita, mas meio tímida e... agitada. Como... ela... mudou.

Ela ficou pensando nisso por um bom tempo. Por fim, como que tomada por um pensamento feliz e aliviada por voltar às coisas cotidianas, exclamou:

— Vou lhe dizer uma coisa, sra. Peters, por que não leva a colcha para ela? Talvez a ajude a passar o tempo.

— Nossa, é uma ótima ideia, sra. Hale — concordou a esposa do xerife, como se também estivesse feliz por entrarem num clima mais agradável. — Não teria motivo para se oporem a isso, não é? Então, o que devo levar? Será que todos os retalhos dela estão aqui... com as outras coisas?

Elas se voltaram para a cesta de costura.

— Tem um vermelho aqui — disse a sra. Hale, pegando um rolo de pano. Debaixo dele havia uma caixa. — Ah, talvez a tesoura dela esteja aqui... e as outras coisas também. — Ela pegou a caixa. — Que linda! Ela deve ter isso há muito tempo... desde que era mais nova.

Ela segurou a caixa por um momento; e então, com um breve suspiro, abriu-a.

No mesmo instante, sua mão foi até o nariz.

— Nossa...!

A sra. Peters aproximou-se... e depois virou-se.

— Tem alguma coisa embrulhada nesse pedaço de seda — disse a sra. Hale, hesitante.

— Não é a tesoura dela — comentou a sra. Peters, com a voz trêmula.

Com a mão instável, a sra. Hale ergueu o pedaço de seda.

— Ah, sra. Peters! — bradou. — É...

A sra. Peters se inclinou mais para perto.

— É o pássaro — sussurrou.

— Mas, sra. Peters! — exclamou a sra. Hale. — *Olhe só! O pescoço...* olhe o pescoço dele! Está todo... *retorcido.*

Ela afastou a caixa de si, ainda segurando-a.

A esposa do xerife se aproximou novamente.

— Alguém torceu o pescoço dele — constatou ela numa voz lenta e grave.

E então, mais uma vez, os olhos das mulheres se encontraram... mas agora fixos em um olhar com um lampejo de compreensão, de crescente horror. A sra. Peters olhou do pássaro morto para a portinha quebrada da gaiola. De novo, os olhos delas se encontraram. E só então ouviram o barulho da porta de fora. A sra. Hale enfiou a caixa sob os remendos de colcha da cesta e afundou na cadeira diante dela. A sra. Peters continuou apoiada na mesa. O procurador do condado e o xerife voltaram para dentro da casa.

— Então, senhoras — disse o procurador do condado, como quem passa de assuntos sérios para as brincadeirinhas —, já decidiram se ela ia costurar a colcha ou só dar um nó?

— Achamos — começou a esposa do xerife com a voz agitada — que ela ia... dar um nó.

Ele estava preocupado demais para notar a mudança que ocorreu na voz dela naquela última palavra.

✳ 84 ✳

SUSAN GLASPELL

— Ah, tenho certeza de que isso é muito interessante — comentou ele, tolerante.

Ele avistou a gaiola do pássaro.

— O pássaro voou?

— Achamos que o gato pegou — disse a sra. Hale com uma voz curiosamente uniforme.

Ele estava andando para cima e para baixo, pensando em algo.

— Tem um gato aqui?

A sra. Hale lançou um olhar para a esposa do xerife.

— Bom, não tem *mais* — respondeu a sra. Peters. — Eles são sensitivos, sabe como é. Vão embora.

Ela afundou na cadeira.

O procurador do condado não lhe deu atenção.

— Não há indícios de que alguém tenha vindo do lado de fora — disse ele para Peters, como que continuando uma conversa interrompida. — Era a própria corda deles. Agora, vamos subir de novo e refazer passo a passo. Teria que ser alguém que soubesse exatamente onde...

A porta que dava na escadaria se fechou atrás deles, e suas vozes se perderam.

As duas mulheres ficaram imóveis, sem olhar uma para a outra, como se estivessem, ao mesmo tempo, espiando algo e se segurando para não fazê-lo. Quando voltaram a falar, era como se tivessem medo do que estavam dizendo, mas como se não pudessem deixar de fazê-lo mesmo assim.

— Ela gostava do pássaro — disse Martha Hale, devagar e em voz baixa. — Ela ia enterrá-lo naquela caixa linda.

— Quando eu era mais nova — falou a sra. Peters, baixinho —, meu gatinho... Um menino pegou uma machadinha, e bem na minha frente... antes que eu conseguisse chegar lá... — Ela cobriu o rosto por um instante. — Se não tivessem me segurado, eu teria... — ela se conteve, olhando para cima, de onde os passos vinham, e terminou de falar com a voz fraca — ... machucado ele.

✳ 85 ✳

JULGADA POR SEUS PARES

E então ficaram sentadas sem falar nada nem se mexer.

— Fico pensando como deve ser — começou a sra. Hale, por fim, como se estivesse adentrando um terreno estranho — nunca ter tido filhos por perto. — Os olhos dela percorreram a cozinha devagar, como se visse o que ela significara ao longo de todos aqueles anos. — Não, o Wright não devia gostar do pássaro — disse ela em seguida. — Uma coisa que cantava. Ela costumava cantar. Ele matou isso também. — Sua voz ficou mais tensa.

A sra. Peters se moveu, inquieta.

— Claro que não sabemos quem matou o pássaro.

— Eu conhecia John Wright — foi a resposta da sra. Hale.

— Aconteceu uma coisa horrorosa nessa casa naquela noite, sra. Hale — declarou a esposa do xerife. — Matar um homem enquanto ele dormia... colocando uma coisa no pescoço dele que o sufocou até a morte.

A mão da sra. Hale estendeu-se para a gaiola do pássaro.

— Não sabemos *quem* o matou — sussurrou a sra. Peters. — *Não sabemos.*

A sra. Hale não se mexeu.

— Se tivessem se passado vários anos de... nada, e então um pássaro cantasse, ficaria muito... quieto... depois que o pássaro parasse de cantar.

Era como se algo dentro dela tivesse falado, não ela própria, e com isso tivesse encontrado na sra. Peters algo que não reconhecia como si mesma.

— Sei como é o silêncio — disse ela numa voz estranha e monótona. — Quando nos estabelecemos em Dakota e meu primeiro bebê morreu... depois de dois anos... e eu fiquei sozinha, sem mais nada...

A sra. Hale se mexeu.

— Acha que vai demorar para pararem de procurar evidências?

✳ 86 ✳

— Sei como é o silêncio — repetiu a sra. Peters do mesmo jeito. E então ela também recuou. — A lei tem que punir o crime, sra. Hale — disse ela daquele jeitinho firme.

— Queria que tivesse visto Minnie Foster — foi a resposta dela — quando usava um vestido branco com fitas azuis e cantava no coral.

A imagem daquela moça, o fato de ela ter vivido ao lado daquela menina por vinte anos e tê-la deixado morrer por falta de vontade de viver de repente era mais do que podia suportar.

— Ah, como eu *queria* ter vindo vê-la de vez em quando! — lamentou. — Isso foi um crime! Quem é que vai me punir?

— Não devemos assumir nada — disse a sra. Peters, com um olhar assustado em direção à escada.

— Eu *devia* saber que ela precisava de ajuda! É *estranho*, sra. Peters. Nós moramos bem perto uma da outra, mas, ao mesmo tempo, vivemos muito longe. Todas passamos pelas mesmas coisas... tudo não passa de um tipo diferente da mesma coisa! Se não fosse... Por que nós duas *entendemos*? Por que *sabemos*... o que sabemos neste instante?

Ela passou a mão pelos olhos. Então, vendo a compota em cima da mesa, estendeu a mão e disse:

— Se eu fosse você, não *contaria* a ela que as compotas estouraram! Diga para ela que *não estouraram*. Diga para ela que está tudo bem... que todas estão inteiras. Aqui... pegue essa para provar! Ela... Ela talvez nunca descubra se quebraram ou não.

Ela se virou.

A sra. Peters estendeu a mão para pegar a compota como se estivesse feliz em fazê-lo... como se tocar em algo familiar, ter algo para fazer, pudesse impedi-la de fazer outra coisa. Ela se levantou, procurou algo para embrulhar a fruta em conserva, pegou uma anágua da pilha de roupas que trouxera do quarto da frente e, nervosa, começou a enrolar o pote.

JULGADA POR SEUS PARES

— Minha nossa! — exclamou ela com uma voz fina e em falsete. — Ainda bem que os homens não nos ouviram! Ficar toda agitada por causa de uma coisinha tão mínima quanto um... canário morto. — Ela seguiu em frente, apressada. — Como se isso tivesse algo a ver com... com... Minha nossa, eles não iam *rir*?

Ouviram passos na escada.

— Talvez fossem, sim — murmurou a sra. Hale. — Mas talvez não.

— Não, Peters — insistiu o procurador do condado, incisivo. — Está tudo bastante claro, exceto pelo motivo. Mas você conhece os júris quando se trata de mulheres. Precisaria de algo concreto... de alguma prova. Algo em que desse para basear uma história. Uma coisa que se conectasse com essa maneira desajeitada de cometer o crime.

Com discrição, a sra. Hale lançou um olhar para a sra. Peters. A sra. Peters a observava. Depressa, elas desviaram o olhar uma da outra. A porta da frente se abriu, e o sr. Hale entrou.

— A carroça já está por perto — disse ele. — Está bem frio lá fora.

— Vou ficar um pouco mais aqui, sozinho — anunciou o promotor do condado de repente. — Pode pedir para o Frank me buscar depois? — perguntou para o xerife. — Quero dar uma olhada em tudo mais uma vez. Não estou satisfeito por não termos conseguido descobrir mais.

Mais uma vez, por um breve momento, os olhares das mulheres se encontraram.

O xerife aproximou-se da mesa.

— Não queria dar uma olhada no que a sra. Peters pegou para levar?

O promotor do condado pegou o avental e riu.

— Ah, acho que as senhoras não pegaram coisas muito perigosas.

A mão da sra. Hale estava na cesta de costura, onde a caixa estava escondida. Ela sentiu que deveria tirar a mão da cesta. Mas não foi capaz. Ele pegou um dos retalhos de colcha que havia empilhado para cobrir a caixa. Os olhos dela estavam queimando. Teve a sensação de que, se o promotor tocasse na cesta, ela a arrancaria da mão dele.

Contudo, ele não a pegou. Com outra risadinha, virou-se, dizendo:

— Não. Sr. Peters, não há nada para supervisionar. Até mesmo porque a esposa do xerife é casada com a lei. Já parou para pensar nisso, sra. Peters?

A sra. Peters estava de pé ao lado da mesa. A sra. Hale lançou um olhar para ela, mas não conseguiu ver seu rosto. A sra. Peters havia virado para o outro lado. Quando abriu a boca, sua voz saiu abafada:

— Não é bem... desse jeito — disse ela.

— Casada com a lei! — O sr. Peters gargalhou. Ele foi em direção à porta da frente e disse ao procurador do condado: — Só quero que venha aqui um minutinho, George. Precisamos dar uma olhada nessas janelas.

— Ah... janelas — comentou o procurador do condado com escárnio.

— Nós já vamos, sr. Hale — disse o xerife para o fazendeiro, que ainda esperava na porta.

Hale foi cuidar dos cavalos. O xerife seguiu o procurador do condado até o outro cômodo. Mais uma vez... por um último momento... as duas mulheres foram deixadas a sós na cozinha.

Martha Hale ficou de pé num salto, as mãos unidas, olhando para a outra mulher, com quem a caixa repousava. A princípio, não conseguia ver seus olhos, já que a esposa do xerife não havia se voltado na direção dela desde que haviam dito que ela era casada com a lei. Mas agora a sra. Hale a fez se virar. Seus olhos a fizeram se virar. Devagar, sem vontade, a sra. Peters girou a cabeça até seus olhos encontrarem os da outra mulher. Houve um momento em que elas se encararam com olhares firmes e ardentes, que não

JULGADA POR SEUS PARES

mostraram sinais de evasão nem de hesitação. E então os olhos de Martha Hale apontaram para o cesto onde estava escondida aquela coisa que garantiria a condenação da outra mulher: da mulher que não estava ali e que, no entanto, estivera ali com elas ao longo de toda aquela hora.

Por um momento, a sra. Peters não se mexeu. Até que o fez. Com pressa, ela tirou os pedaços de colcha de cima, pegou a caixa e tentou guardá-la na bolsa. Era grande demais. Desesperada, ela a abriu e começou a tirar o pássaro lá de dentro. Mas então se deteve... não conseguia tocá-lo. Ela ficou ali, impotente, insensata.

Ouviram o som de uma maçaneta girando na porta de dentro. Martha Hale arrancou a caixa da mulher do xerife e guardou-a no bolso de seu grande casaco bem no instante em que o xerife e o procurador do condado voltaram para a cozinha.

— Bom, Henry — disse o promotor do condado, jocoso —, pelo menos descobrimos que ela não ia costurar uma colcha. Ela ia... como é que as senhoras falam mesmo?

A mão da sra. Hale estava no bolso do casaco.

— Nós falamos... dar um nó, sr. Henderson.

DAMAS FEROZES

A TEMPES-TADE

Kate Chopin

✳ 1898 ✳

Após um toque delicado, uma descarga elétrica revela um desejo há muito reprimido. Como quando uma tempestade surge em meio a um céu azul, a inesperada chance de explorar um desejo antigo conduz a uma entrega avassaladora.

I

As folhas estavam tão paradas que até Bibi achou que ia chover. Bobinôt, que estava acostumado a conversar em condições de perfeita igualdade com seu filhinho, chamou a atenção da criança para algumas nuvens escuras que deslizavam do oeste com uma intenção sinistra, acompanhadas por um rugido sombrio e ameaçador. Estavam na loja de Friedheimer e decidiram permanecer lá até a tempestade passar. Sentaram-se perto da porta, em dois barris vazios. Bibi tinha quatro anos e parecia muito sábio.

— A mamãe vai *ficá* com medo, né? — sugeriu o menino, piscando.

— Ela vai fechar a casa. Talvez a Sylvie esteja lá para ajudá-la hoje à noite — respondeu Bobinôt de maneira tranquilizadora.

— Não, ela não tá com a Sylvie. A Sylvie tava *ajudano* ela *onti* — disse Bibi.

Bobinôt levantou-se, foi até o balcão e comprou uma lata de camarões, de que Calixta tanto gostava. Depois, voltou para seu lugar no barril e ficou sentado, impassível, segurando a lata de camarões enquanto a tempestade irrompia. Ela balançava o armazém de madeira e parecia abrir grandes sulcos no campo distante. Bibi colocou a mãozinha no joelho do pai e não teve medo.

A TEMPESTADE

II

Em casa, Calixta não se preocupava com a segurança deles. Estava sentada em uma janela lateral, trabalhando sem parar numa máquina de costura. Por estar tão ocupada, não percebeu a tempestade se aproximando. Mas estava com muito calor e com frequência parava para enxugar o rosto, onde o suor se acumulava em gotas. Desamarrou o manto branco na altura do pescoço. Do lado de fora, escurecia, e, de repente, percebendo a situação, levantou-se com pressa e começou a fechar as janelas e portas.

Na varandinha da frente, havia pendurado as roupas de domingo de Bobinôt para secar, então apressou-se em recolhê-las antes que a chuva caísse. Ao atravessar a porta para o quintal, Alcée Laballière entrou pelo portão. Ela não o via com muita frequência desde que se casara, muito menos sozinha. Calixta ficou parada, com o casaco de Bobinôt em mãos, quando grandes gotas de chuva começaram a cair. Alcée levou o cavalo até o abrigo de uma construção ao lado, onde as galinhas estavam amontoadas e havia arados e um ancinho empilhados em um canto.

— Posso entrar e esperar na sua varanda até a tempestade passar, Calixta? — perguntou ele.

— Entre aí, sr. Alcée.

A voz dele e a dela própria a surpreenderam, como se saísse de um transe, e ela agarrou a peça de roupa de Bobinôt. Alcée, subindo a varanda, apanhou a calça e aparou o casaco trançado de Bibi, que estavam prestes a serem levados por uma rajada repentina de vento. Ele expressou a intenção de permanecer do lado de fora, mas logo ficou claro que seria o mesmo que ficar ao ar livre: a água batia nas tábuas como uma cachoeira, então ele entrou, fechando a porta ao passar. Foi até necessário colocar algo embaixo dela para impedir a entrada da chuva.

* 94 *

— Minha nossa! Que aguaceiro! Já faz uns bons dois anos desde a última vez que choveu assim — exclamou Calixta, enrolando um pedaço de tecido, e Alcée ajudou-a a enfiá-lo na fresta da porta.

Ela estava um pouco mais corpulenta do que cinco anos antes, quando se casou, mas não havia perdido nem um pouco da vivacidade. Os olhos azuis ainda pareciam se derreter; e seu cabelo loiro, desgrenhado pelo vento e pela chuva, estava grudado, com mais teimosia do que nunca, nas orelhas e têmporas.

A chuva batia com força no telhado baixo de telhas de madeira, fazendo um barulho que ameaçava invadir a casa e inundá-los ali. Estavam na sala de jantar, que também era sala de estar e despensa. Ao lado, ficava o quarto dela, com o sofá-cama de Bibi ao lado do seu. A porta estava aberta, e o quarto, com sua cama branca monumental e as persianas fechadas, parecia sombrio e misterioso.

Alcée se jogou em uma cadeira de balanço, e Calixta, nervosa, começou a recolher do chão os pedaços de um lençol de algodão que estava costurando.

— Se continuar desse jeito, *Dieu sait*[5] se os diques vão suportar! — exclamou ela.

— O que você tem a ver com os diques?

— Já tenho muito o que fazer! Fora que o Bobinôt está com o Bibi naquela tempestade, isso se já tiver saído do Friedheimer!

— Vamos torcer, Calixta, para que Bobinôt seja sensato o bastante para não sair em um ciclone.

Ela se afastou e parou em frente à janela, com uma expressão muito perturbada no rosto. Limpou o batente, embaçado pela umidade. Estava tão quente que chegava a ser sufocante. Alcée ficou de pé e juntou-se a ela na janela, olhando por cima do ombro de Calixta. A chuva caía em torrentes, obscurecendo a visão dos chalés distantes e envolvendo a floresta ao longe em uma névoa

---

5 *Dieu sait* é uma expressão em francês que significa "Deus sabe" em português. [N. R.]

cinzenta. A aparição de relâmpagos era incessante. Um raio atingiu um alto cinamomo na beira do campo. Preencheu todo o espaço visível com um brilho ofuscante, e o estrondo pareceu invadir as tábuas debaixo deles.

Calixta levou as mãos aos olhos e, com um grito, cambaleou para trás. O braço de Alcée a envolveu e, por um instante, ele a puxou para perto de si.

— *Bonté!*[6] — gritou ela, libertando-se do braço dele e afastando-se da janela. — A casa vai ser a próxima! Se ao menos eu soubesse onde Bibi está...!

Ela não iria se recompor; não ficaria sentada. Alcée segurou seus ombros e olhou em seu rosto. O contato do corpo de Calixta, quente e palpitante, quando ele a puxou para seus braços sem pensar havia despertado toda a antiga paixão e o desejo por sua carne.

— Calixta — disse ele —, não se assuste. Nada vai acontecer. A casa é baixa demais para ser derrubada, ainda mais com tantas árvores ao redor. Olhe lá! Você não vai se acalmar? Me diz, vai ficar tranquila?

Ele afastou o cabelo do rosto dela, que estava quente e fumegante. Os lábios estavam vermelhos e úmidos como sementes de romã. O pescoço branco e um vislumbre de seus seios fartos e firmes o perturbaram bastante. Quando a mulher ergueu o olhar para ele, o medo em seus olhos azuis fluidos deu lugar a um brilho sereno que, de maneira inconsciente, traiu um desejo sensual. Alcée baixou os olhos para os de Calixta, e não havia nada que ele pudesse fazer a não ser unir seus lábios em um beijo.

Isso o lembrou de Assunção.

— Você se lembra de Assunção, Calixta? — perguntou ele em uma voz baixa, que falhou de tanta paixão.

---

6 *Bonté* está sendo usada como uma expressão de surpresa, choque ou preocupação. Nesse contexto, o significado mais apropriado poderia ser "Meu Deus!" ou "Céus!". [N. R.]

Ah! E como se lembrava. Foi em Assunção que ele a beijou e beijou e beijou; até que seus sentidos quase falharam, e, para salvá-la, ele recorreu a uma fuga desesperada. Mesmo se ela não fosse uma donzela imaculada naqueles dias, ainda seria inviolável. Uma criatura apaixonada cuja própria vulnerabilidade a tornara defensiva, contra a qual a honra dele o proibia de prevalecer. Ora, bem, agora seus lábios pareciam de certa forma livres para serem degustados, assim como o pescoço curvilíneo e branco, além dos seios, ainda mais alvos.

Eles não prestaram atenção às torrentes violentas, e o rugido dos elementos a fez rir enquanto ainda estava nos braços dele. Ela era como uma revelação em uma câmara escura e misteriosa; tão branca quanto o sofá em que estava deitada. A carne, firme e elástica, que conhecia seu direito de nascença pela primeira vez, assemelhava-se a um lírio untuoso que o sol convidava a contribuir com seu sopro e perfume para a vida eterna do mundo.

A abundância generosa de sua paixão, sem malícias nem truques, era como uma chama branca que penetrava e encontrava resposta nas profundezas da natureza sensual dele, que até então nunca havia sido alcançada.

Quando ele tocou os seios dela, eles se entregaram a um êxtase trêmulo, convidando os lábios dele. Sua boca era uma fonte de deleite. E quando ele a possuiu, pareceram desmaiar juntos na própria fronteira do mistério da vida.

Ele permaneceu apoiado nela, ofegante, atordoado, enfraquecido, com o coração batendo como um martelo sobre ela. Com uma mão, ela agarrou a cabeça dele, os lábios da mulher tocando sua testa suavemente. A outra mão acariciava com delicadeza os ombros musculosos.

O rugido do trovão estava distante, indo embora. A chuva batia de leve nas telhas, convidando-os à sonolência e ao sono, mas eles não ousaram ceder.

A TEMPESTADE

III

A chuva havia passado, e o sol transformava o mundo verde e brilhante em um palácio de pedras preciosas. Calixta, na varanda, observou Alcée partir. Ele se virou para trás e sorriu para ela com uma expressão radiante; e ela ergueu o lindo queixo no ar e riu alto.

Bobinôt e Bibi, voltando para casa, fizeram uma parada na cisterna para ficarem apresentáveis.

— Nossa! Bibi, que é que sua mãe vai dizer?! *Cê* devia ter vergonha. Devia vestir calças boas. Olha só pra elas! E a lama no colarinho?! Como que *cê* sujou o colarinho de lama, Bibi? Nunca vi um menino desse jeito!

Bibi era a imagem patética da resignação. Bobinôt era a personificação do profundo cuidado enquanto se esforçava para remover de si mesmo e do filho as marcas da caminhada por estradas inclinadas e campos alagados. Ele raspou a lama das pernas e dos pés nus de Bibi com um graveto e tirou, com capricho, todos os vestígios de suas botinas pesadas. Depois, preparados para o pior, o encontro com uma dona de casa demasiadamente escrupulosa, entraram com cautela pela porta dos fundos.

Calixta estava preparando o jantar. Havia posto a mesa e estava servindo o café que esquentava na lareira. Ela se levantou assim que eles entraram.

— Ah, Bobinôt! Você voltou! Minha nossa! Como eu estava preocupada. Onde é que vocês ficaram durante a chuva? E Bibi? Não tá molhado? Não tá machucado?

Ela havia abraçado Bibi e o beijava efusivamente. As explicações e desculpas de Bobinôt, que ele viera ensaiando ao longo do caminho, morreram em seus lábios enquanto Calixta o apalpava para ver se ele estava seco, parecendo não expressar nada além de satisfação por terem voltado a salvo.

✳ 98 ✳

— Trouxe camarão pra você, Calixta — disse Bobinôt, tirando a lata de seu enorme bolso lateral e colocando-a sobre a mesa.

— Camarão! Ah, Bobinôt! Você é um homem tão bom! — E deu-lhe um beijo estalado na bochecha, completando: — *J'vous réponds*,[7] vamos ter um banquete hoje à noite! Oba!

Bobinôt e Bibi começaram a relaxar e aproveitar o momento, e, quando os três se sentaram à mesa, riram tanto e tão alto que qualquer um poderia tê-los ouvido, até mesmo Laballière.

IV

Alcée escreveu para a esposa, Clarisse, naquela noite. Era uma carta amorosa, cheia de uma atenção meiga. Ele disse para ela não ter pressa em retornar, mas, se ela e os bebês gostassem de Biloxi, poderiam ficar mais um mês. Ele estava lidando bem com as coisas; e, embora sentisse saudade deles, estava disposto a suportar a distância por mais algum tempo, pois a saúde e o prazer deles vinham em primeiro lugar.

V

Quanto a Clarisse, ela ficou encantada ao receber a carta do marido. Ela e os bebês estavam indo bem. A companhia era agradável; muitos de seus antigos amigos e conhecidos estavam na baía. E o primeiro momento livre desde o casamento pareceu restaurar a agradável liberdade de seus dias de solteira. Devotada como era ao marido, a vida conjugal íntima deles era algo que estava mais do que disposta a renunciar por um tempo.

Então a tempestade passou e todos ficaram felizes.

---

7 A expressão *J'vous réponds* é uma forma coloquial de assegurar algo, como "eu vos asseguro" ou "eu garanto". [N. R.]

DAMAS FEROZES

ÊXTASE

Katherine Mansfield

✦ 1918 ✦

Bertha é invadida por uma sensação de êxtase. Nesse instante, desperta para novos pensamentos, olhares, interesses, percepções, sensações e desejos libidinosos considerados impróprios para uma mulher de sua época.

Embora Bertha Young tivesse trinta anos, ainda havia momentos como esse em que ela queria correr em vez de andar, fazer passos de dança dentro e fora da calçada, arremessar um arco, jogar algo para o alto e pegar de novo, ou ficar em pé e rir de... nada. Só dar risada.

O que fazer se, com trinta anos, ao virar a esquina da própria rua, uma sensação de êxtase – um êxtase absoluto! – tomasse conta, de repente, como se do nada a pessoa houvesse engolido um pedaço brilhante daquele sol de fim de tarde e ele queimasse no peito, enviando uma garoa de centelhas em cada partícula, em cada dedo das mãos e dos pés?...

Ah, será que não existe outra maneira de expressar isso sem estar "embriagado e desordeiro"? Como a sociedade é tola! Para que ter um corpo se terá que mantê-lo trancado em um estojo como um violino muito, muito raro?

Não, não é bem isso o que quero dizer sobre o violino, pensou ela, subindo os degraus às pressas, tateando a bolsa em busca da chave – que havia esquecido, como sempre – e sacudindo a caixa de correio. *Não é isso o que quero dizer, porque...*

— Obrigada, Mary — disse ela, encaminhando-se para o corredor. — A babá voltou?

— Sim, senhora.

— E as frutas chegaram?

ÊXTASE

— Sim, senhora. Já chegou tudo.

— Pode trazê-las para a sala de jantar, por favor? Vou arrumar tudo antes de subir.

Estava escuro na sala de jantar e fazia muito frio. Mas, mesmo assim, Bertha tirou o casaco. Ela não aguentava o aperto nem por mais um segundo, e o ar frio caiu sobre seus braços.

Porém, em seu peito ainda havia aquele lugar brilhante, aquela chuva de pequenas centelhas saindo dele. Era quase insuportável. Ela mal ousava respirar com medo de soprá-lo para longe, mas, mesmo assim, inspirou muito, muito fundo. Mal ousava olhar para o espelho gelado – mas olhou, e ele lhe mostrou uma mulher radiante, com um sorriso nos lábios trêmulos, olhos grandes e escuros, com um ar de quem estava ouvindo, esperando que algo... divino acontecesse... que ela sabia que deveria acontecer... de um jeito ou de outro.

Mary trouxe a fruta numa bandeja, com ela uma tigela de vidro e um prato azul muito bonito, com um brilho estranho nele, como se tivesse sido mergulhado no leite.

— Devo acender a luz, senhora?

— Não, obrigada. Consigo enxergar muito bem.

Havia tangerinas e maçãs com marcas de cor-de-rosa, no tom de morangos. Algumas peras amarelas, suaves como seda, e umas uvas verdes cobertas por um broto prateado e um grande cacho de uvas roxas. Essas ela tinha comprado para combinar com o novo tapete da sala de jantar. Sim, parecia uma ideia um tanto quanto exagerada e absurda, mas foi por isso mesmo que as comprara. Havia pensado: *Preciso de algumas das roxas para fazer aparecer o tapete na mesa*. E na hora lhe pareceu bastante sensato.

Quando terminou, deixando duas pirâmides feitas daqueles formatos redondos e brilhantes, afastou-se da mesa para ver como tinha ficado, e o efeito ficou bem interessante. Como a mesa escura parecia fundir-se na penumbra, parecia que o prato de vidro e a tigela azul estavam flutuando no ar. Isso, é claro, em seu estado de espírito atual, era belíssimo... Então começou a rir.

Não, não. Estou ficando histérica.

E pegou a bolsa, o casaco e correu escada acima, para o quarto das crianças.

A babá estava sentada a uma mesa baixa, dando o jantar à pequena B depois do banho. A bebê usava uma camisola de flanela branca e um casaco de lã azul, e o cabelo escuro e fino estava penteado para cima em um rabinho engraçado. Ela ergueu a cabeça quando viu a mãe se aproximar e começou a pular.

— Vamos, meu amor, coma tudo como uma boa menina — disse a babá, franzindo os lábios de uma forma que Bertha já conhecia e que significava que, mais uma vez, ela havia entrado no quarto na hora errada.

— Ela se comportou bem, babá?

— Ela foi um doce a tarde toda — sussurrou a babá. — Nós fomos ao parque, eu me sentei em uma cadeira e a tirei do carrinho, aí apareceu um cachorro enorme e deitou a cabeça no meu colo, ela agarrou a orelha dele e deu um puxão. Ah, a senhora tinha que ter visto.

Bertha queria perguntar se não era perigoso deixá-la agarrar a orelha de um cachorro desconhecido, mas não se atreveu a fazê-lo. Ficou olhando para as duas, com as mãos ao lado do corpo, como uma menininha pobre em frente a uma menina rica com uma boneca.

A bebê olhou para a mãe de novo, encarando-a, então sorriu de um jeito tão charmoso que Bertha não conseguiu se segurar:

— Ah, babá, pode deixar que eu termino de dar o jantar para ela enquanto você arruma as coisas do banho.

ÊXTASE

— Bom, senhora, ela não deveria trocar de cuidadora durante a refeição — disse a babá, ainda sussurrando. — Isso a deixa agitada; pode ser que a perturbe.

Aquilo era um absurdo. Para que ter uma bebê se precisava mantê-la... não em um estojo como um violino muito, muito raro... mas nos braços de outra mulher?

— Ah, eu insisto! — exclamou ela.

Muito ofendida, a babá entregou os cuidados nas mãos de Bertha.

— Por favor, não a deixe muito agitada depois do jantar. A senhora sabe. Depois ela me dá um trabalhão!

Graças a Deus a babá saiu do quarto, levando as toalhas de banho.

— Agora eu tenho você só para mim, meu bebezinho precioso — disse Bertha enquanto pegava a filha no colo.

A bebê comeu muito bem; fazia biquinho quando a colher entrava na boca e depois balançava as mãos. Às vezes, não soltava a colher; outras, no momento em que Bertha a enchia, a menina atirava a comida aos quatro ventos.

Quando a sopa acabou, Bertha voltou-se para a lareira.

— Você é uma graça... é tão bonitinha! — disse ela, beijando a bebê quentinha. — Gosto tanto de você. Tanto.

E, de fato, amava muito a pequena B – seu pescocinho quando ela se inclinava para a frente, os dedinhos dos pés brilhando à luz do fogo –, tanto que toda aquela sensação de êxtase voltou de novo, e mais uma vez ela não soube como expressá-la nem o que fazer com ela.

— Tem alguém no telefone querendo falar com a senhora — avisou a babá, voltando triunfante e agarrando *sua* pequena B.

✳ 104 ✳

Bertha saiu correndo escada abaixo. Era Harry.

— Ah, é você, Ber? Olha, vou chegar atrasado. Vou pegar um táxi e ir o mais rápido possível, mas atrase o jantar em dez minutos, está bem? Pode ser?

— Sim, com certeza. Ah, Harry!

— Sim?

O que ela tinha a dizer? Não tinha nada para falar. Só queria ficar na linha com ele por um instante. Ela não podia exclamar de repente: "Hoje não foi um dia incrível?!".

— O que foi? — chamou a voz dele.

— Nada. *Entendu*[8] — disse Bertha, e então desligou o telefone, pensando em como a sociedade era muito mais do que apenas tola.

Algumas pessoas viriam para o jantar. Os Norman Knight, um casal bastante espalhafatoso – ele estava prestes a abrir um teatro, e ela adorava decoração de interiores –; o jovem Eddie Warren, que acabara de publicar um livrinho de poemas e a quem todos convidavam para jantar; e um "achado" de Bertha, chamada Pearl Fulton. O que a srta. Fulton fazia, Bertha não sabia. Elas se conheceram no clube, e Bertha se encantou por ela, como sempre se encantava por mulheres lindas que tinham algo de estranho.

O mais instigante era que, embora tivessem passado um tempo juntas, encontrando-se várias vezes e de fato conversado, Bertha não conseguia entendê-la. Até certo ponto, a srta. Fulton era

---

8   Esta expressão, derivada do francês, significa "entendido" ou "compreendido". Originada das conversas telefônicas de meados do século xx, tornou-se uma maneira informal e charmosa de indicar compreensão. [N. R.]

ÊXTASE

franca, vez ou outra, mas de uma maneira extraordinária; porém, o certo ponto estava lá, e dali não passava.

Havia algo além disso? Harry dizia que não. Achava-a entediante, "fria como todas as mulheres loiras, com um toque, talvez, de anemia cerebral". Mas Bertha não conseguia concordar; pelo menos, ainda não.

— Não, Harry. O modo como ela fica sentada com a cabeça meio inclinada para o lado, sorrindo... Tem algo por trás disso, e preciso descobrir o que é.

— É bem provável que seja um bom estômago — respondeu Harry.

Ele fazia questão de provocar Bertha com respostas daquele tipo... "Fígado congelado, minha querida" ou "flatulência pura" ou "doença renal"... e assim por diante. Por algum motivo estranho, Bertha gostava disso, era algo que quase admirava nele.

Ela foi até a sala de estar e acendeu o fogo. Em seguida, uma por uma, pegou as almofadas que Mary havia disposto com tanto cuidado e jogou-as de volta nas poltronas e nos sofás. Isso fez toda a diferença: a sala ganhou vida no mesmo instante. Quando estava prestes a jogar a última, surpreendeu-se ao apertá-la contra si, com muita paixão. Mas isso não apagou o fogo em seu peito. Ah, pelo contrário!

As janelas da sala davam para uma varanda com vista para o jardim. No extremo oposto, contra o muro, havia uma pereira alta e esguia, em plena floração. Era perfeita, como se estivesse em repouso contra o céu verde-jade. Mesmo a distância, Bertha não conseguia deixar de sentir que não havia um único botão por desabrochar, nem uma única pétala desbotada. Lá embaixo, nos canteiros carregados de flores, tulipas vermelhas e amarelas pareciam debruçar-se sob o crepúsculo. Um gato cinzento, arrastando a barriga no chão, rastejou pelo gramado, e um gato preto o seguiu, como se fosse sua sombra. Ao vê-los passar com tanta precisão e agilidade, Bertha sentiu um estranho arrepio.

— Gatos são criaturas tão sinistras! — gaguejou ela, então afastou-se da janela e começou a andar de um lado para o outro...

O junquilhos perfumavam a sala quente. Seria um cheiro forte demais? Ah, não. E como se tivesse sido tomada por algo, ela se jogou no sofá e apertou as mãos nos olhos.

— Estou tão feliz... tão feliz! — murmurou.

E parecia ver em suas pálpebras a linda pereira com as flores desabrochadas, como um símbolo da própria vida.

Ela de fato tinha tudo, de verdade. Era jovem. Harry e ela estavam apaixonados como sempre, davam-se muito bem e eram bons amigos. Tinha uma bebê adorável. Não precisavam se preocupar com dinheiro. Tinham uma casa e um jardim muito satisfatórios. E amigos – amigos modernos e incríveis; escritores, pintores e poetas ou pessoas engajadas em questões sociais –, o tipo exato de amigos que eles queriam. E também havia livros e música, ela tinha encontrado uma costureira maravilhosa, eles iriam viajar para fora do país no verão, e a nova cozinheira fazia as melhores omeletes de todas...

Estou ficando maluca. Maluca! Ela se sentou; mas se sentiu bem tonta, meio bêbada. Devia ser a primavera.

Sim, era a primavera. Agora estava tão cansada que não conseguia se arrastar escada acima para se trocar.

Um vestido branco, um colar de pedras de jade, sapatos verdes e meia fina. Não foi de propósito. Ela tinha pensado nisso horas antes de olhar para fora da janela da sala de estar.

Suas pétalas farfalharam com delicadeza pelo corredor, e Bertha cumprimentou com um beijo a sra. Norman Knight, que estava tirando um dos casacos laranja mais divertidos que ela já vira: havia uma fileira de macacos pretos na bainha e subindo pela parte da frente.

ÊXTASE

— ... Por quê? Por quê? Por que a classe média é tão enfadonha, sem qualquer senso de humor? Minha querida, é por pura sorte que estou aqui, porque Norman foi um achado. Meus queridos macacos causaram tanto transtorno no trem que um passageiro ficou de pé e quase me devorou com os olhos. Não riu nem achou graça, o que eu teria adorado. Não; apenas encarou, o que me deixou muito, muito entediada.

— Mas a melhor parte foi... — disse Norman, ajustando o grande monóculo com aro de tartaruga no olho. — Posso contar, não é, Momo? — (Quando estavam em casa ou entre amigos, eles se chamavam de Momo e Bufão.) — A melhor parte foi quando ela, com a barriga cheia, virou-se para a mulher ao lado e disse: "A senhora nunca tinha visto um macaco?".

— Ah, sim! — A sra. Norman Knight riu junto com o marido. — Isso foi incrível, não foi?!

E o mais engraçado era que, agora que ela estava sem o casaco, parecia mesmo com um macaco muito inteligente: um que fizera aquele vestido de seda amarelo com cascas de banana. E os brincos de âmbar pareciam duas nozes penduradas.

— "Com essa queda e a torrente de dor"... — disse Bufão, parando na frente do carrinho de bebê da pequena B. — "O carrinho de bebê chega ao corredor..." — E, com um gesto, ele deixou o resto da citação para lá.

A campainha tocou. Era Eddie Warren, magro e pálido, como sempre, em um estado de aflição aguda.

— *Essa* é a casa certa, *não é?* — quis saber ele.

— Ah, creio que sim... Espero que sim — disse Bertha com alegria.

— Tive uma experiência *tão terrível* com o taxista. Era um homem *muito* sinistro; não conseguia fazê-lo parar o carro. Quanto *mais* eu batia no vidro e o chamava, *mais rápido* ele dirigia. E, à luz

* 108 *

do *luar*, aquela silhueta *bizarra* com a cabeça *achatada*, curvada atrás do volante *minúsculo*...

Ele estremeceu e em seguida tirou seu imenso cachecol de seda branca. Bertha notou que as meias dele também eram brancas... e muito elegantes.

— Mas que horror! — exclamou ela.

— Sim, foi mesmo — disse Eddie, seguindo-a até a sala de estar. — Eu me vi *dirigindo* pela Eternidade em um táxi *atemporal*.

Ele conhecia os Norman Knight. Na verdade, ele ia escrever uma peça para N.K. quando o esquema do teatro saísse do papel.

— Então, Warren, como vai a peça? — perguntou Norman Knight, tirando o monóculo e dando um tempo para o olho voltar à superfície antes de rosqueá-lo de novo.

E a sra. Norman Knight comentou:

— Ah, sr. Warren, que meias graciosas!

— Fico *tão* feliz por ter gostado delas — respondeu ele, encarando os próprios pés. — Parecem ter ficado *muito* mais brancas desde que a lua apareceu. — E logo virou o rosto jovem, magro e pesaroso para Bertha. — *Há* uma lua no céu, sabia?

Ela queria gritar:

— Com certeza tem... Sempre. Sempre!

Ele era mesmo uma pessoa muito interessante. Mas Momo também era, agachada diante do fogo em suas cascas de banana; e Bufão também, fumando um cigarro e dizendo, ao bater as cinzas:

— Por que a demora do noivo?

— Ele já está vindo.

Bang! A porta da frente abriu e fechou. Harry gritou:

— Olá, pessoal. Volto em cinco minutos. — E o ouviram subir as escadas.

Bertha não conteve o sorriso; ela sabia como ele adorava fazer as coisas sob alta pressão. Afinal, que diferença fazia cinco minutos a mais? Mas ele fingiria para si mesmo que eram de

ÊXTASE

extrema importância. E faria questão de entrar na sala de estar extravagantemente calmo e contido.

Harry era um grande entusiasta da vida. Ah, como ela apreciava isso nele! E a paixão dele pela luta, por procurar em tudo com o que se deparava outro teste de seu poder e coragem... ela entendia isso também. Até mesmo quando, por vezes, isso o fazia parecer um tanto ridículo, talvez, aos olhos de outras pessoas que não o conheciam... Pois havia momentos em que ele se preparava para a batalha, mas não havia batalha alguma... Então ela riu, conversou e se esqueceu por completo, até ele voltar (da mesma forma como ela havia imaginado), de que Pearl Fulton não havia aparecido.

— Será que a srta. Fulton se esqueceu?

— Assim suponho — disse Harry. — Ela tem telefone?

— Ah! Acabou de chegar um táxi. — E Bertha sorriu com aquele ar de propriedade que ela sempre adotava ao encontrar novas mulheres misteriosas. — Ela vive dentro de táxis.

— Vai acabar engordando se continuar assim — disse Harry com frieza, tocando o sininho para o jantar. — Um perigo terrível para mulheres loiras.

— Harry... não se atreva! — avisou Bertha, rindo dele.

Enquanto esperavam, rindo e conversando, um pouco à vontade demais e desinibidos na mesma proporção, um momento se passou. E então a srta. Fulton, toda de prata, com um adorno de prata prendendo seu cabelo loiro-claro, chegou com um sorriso, a cabeça inclinada de leve para o lado.

— Estou atrasada?

— Não, nem um pouco — disse Bertha. — Vamos.

Ela segurou o braço da mulher, e juntas foram para a sala de jantar.

O que havia no toque frio daquele braço que poderia esfriar, resfriar, abrasar e então incendiar o fogo do êxtase com o qual Bertha não sabia como lidar?

✳ 110 ✳

A srta. Fulton não olhou para ela; porém, ela não costumava olhar diretamente para as pessoas. Suas pálpebras pesadas repousavam sobre os olhos, e um estranho meio-sorriso ia e vinha em seus lábios, como se vivesse mais ouvindo do que vendo. Mas Bertha soube, de repente, como se elas tivessem trocado um olhar longo e íntimo – como se tivessem dito uma para a outra: "Você também?" –, que Pearl Fulton, mexendo a bela sopa vermelha no prato cinza, estava sentindo o mesmo que ela.

E os outros? Momo e Bufão, Eddie e Harry. As colheres subiam e desciam... Limpavam os lábios com guardanapos, esfarelavam pão, mexiam nos garfos e nos copos e conversavam.

— Eu a conheci no Alpha Show... Uma mulherzinha bem estranha. Não tinha só cortado o cabelo: parecia ter arrancado um bom pedaço das pernas, dos braços, do pescoço e do coitadinho do nariz também.

— Ela não é bem próxima de Michael Oat?

— O homem que escreveu *Amor e dentadura?*

— Ele quer escrever uma peça para mim. Um só ato. Um só homem. Ele decide comer suicídio. Apresenta todos os motivos a favor e contra. E, assim que ele decide se vai se matar ou ficar vivo, as cortinas se fecham. Não é uma ideia ruim.

— E qual vai ser o nome, *Problema estomacal?*

— *Acho* que vi uma ideia *parecida* em uma revistinha francesa ainda *bem* desconhecida na Inglaterra.

Não, eles não compartilhavam do mesmo sentimento. Eram uns queridos, pessoas adoráveis, e ela adorava tê-los ali, em sua mesa, e oferecer-lhes comida e vinho deliciosos. Na verdade, desejava dizer-lhes como eram encantadores, como formavam um grupo cativante, como pareciam realçar uns aos outros e como lhe lembravam uma peça de Tchekof!

Harry estava aproveitando o jantar. Era algo dele... bom, não era bem de sua natureza e decerto não de sua essência... de...

* **111** *

ÊXTASE

de alguma coisa dele... falar sobre comida e enaltecer sua "paixão desavergonhada pela carne branca da lagosta" e os "o verde dos sorvetes de pistache, verdes e gelados como as pálpebras de dançarinas egípcias".

Ele ergueu o olhar e disse:

— Bertha, esse suflê está incrível!

Ela quase chorou de felicidade, feito uma criança.

Ah, por que se sentia tão sensível perante o mundo inteiro aquela noite? Tudo estava bem, estava certo. Todos os acontecimentos pareceram encher mais uma vez sua taça transbordante de êxtase.

E, ainda assim, no fundo de sua mente, havia uma pereira. Agora, estaria prateada à luz da lua do pobre e querido Eddie, prateada como a srta. Fulton, que estava sentada ali, girando uma tangerina em seus dedos delgados, tão claros que uma luz parecia sair deles.

A única coisa que ela não conseguia entender – e que era um milagre – era como poderia ter adivinhado o estado de espírito da srta. Fulton de maneira tão exata e instantânea. Porque nunca duvidou, nem por um instante, de que estava certa, e ainda assim, que pretextos tinha para avançar? Quase nenhum.

Acredito que deva ser muito, muito raro isso acontecer entre as mulheres. Nunca entre os homens, pensou Bertha. *Mas, enquanto eu estiver fazendo café na sala de estar, talvez ela "dê um sinal".*

O que ela quis dizer com isso, não sabia, e o que aconteceria em seguida, jamais poderia imaginar.

Enquanto pensava no assunto, viu-se conversando e rindo. Precisava conversar porque queria uma desculpa para rir.

Se eu não rir, vou morrer.

Porém, quando percebeu o hábito engraçadinho de Momo de enfiar alguma coisa na frente do espartilho, como se também guardasse ali uma pequena reserva de nozes, Bertha teve que cavar as unhas nas mãos... para não rir demais.

✳ 112 ✳

Enfim havia acabado. E então Bertha disse:

— Venham ver minha cafeteira nova.

— Só temos uma cafeteira nova a cada quinze dias — disse Harry.

Momo agarrou o braço dela dessa vez. A srta. Fulton inclinou a cabeça e as seguiu.

A lareira havia apagado na sala de estar, transformando-se em um "ninho de bebês de fênix", vermelha e tremeluzente, de acordo com Momo.

— Não acenda a luz por enquanto. É tão bonito. — E ela se agachou perto do fogo de novo.

Ela vivia com frio... *sem o casaco vermelho de flanela, é claro*, pensou Bertha.

Naquele momento, a srta. Fulton "deu o sinal".

— Você tem um jardim? — disse a voz fria e sonolenta.

Foi tão primoroso por parte dela que tudo o que Bertha pôde fazer foi obedecer. Ela atravessou a sala, abriu as cortinas e, em seguida, aquelas grandes janelas.

— Ali! — Ela ofegou.

E as duas mulheres ficaram lado a lado, olhando para a árvore esguia e florida. Embora estivesse tão imóvel, parecia, tal qual a chama de uma vela, esticar-se, apontar, estremecer no ar brilhante e ficar cada vez mais alta à medida que elas a fitavam, até quase tocar a borda redonda e prateada da lua.

Quanto tempo ficaram lá? As duas, por assim dizer, presas naquele círculo de luz sobrenatural, entendendo uma à outra de maneira perfeita, criaturas de outro mundo, e imaginando o que fariam no mundo com todo o tesouro extasiante que queimava nos peitos delas e caía, em flores prateadas, dos seus cabelos e mãos?

ÊXTASE

Para sempre... por um momento? E será que srta. Fulton tinha mesmo murmurado:

— É. *Só* isso.

Ou será que tinha sido um sonho de Bertha?

Então a luz foi acesa e Momo fez café e Harry disse:

— Minha querida sra. Knight, não me pergunte sobre a bebê. Eu nunca a vejo. Não sentirei o menor interesse nela até ela arranjar um namorado.

E Bufão tirou o olho do solário por um instante e em seguida colocou o monóculo de novo, e Eddie Warren bebeu o café e colocou a xícara na mesinha com uma expressão de angústia, como se tivesse bebido e visto uma aranha.

— O que quero é dar um espaço para os jovens. Acho que Londres está repleta de peças do mais alto nível, mas que ainda não foram escritas. O que quero dizer para eles é: "O teatro está bem aqui. Podem ir em frente".

— Meu bem, você sabe que vou decorar a cozinha de Jacob Nathans. Ah, estou muito tentada a fazer um projeto meio peixe frito, com as costas das cadeiras em formato de frigideira e lindas batatas fritas bordadas por toda a cortina.

— O problema com os jovens escritores de hoje é que ainda romantizam demais. Não é possível viajar de navio sem sentir enjoo e precisar de um balde. Bom, então por que eles não têm a coragem de pedir um balde?

— Um poema *terrível* sobre uma moça que foi *violentada* por um mendigo *sem* nariz em um pequeno bosque...

A srta. Fulton afundou-se na poltrona mais baixa e macia, e Harry distribuiu os cigarros.

Pela maneira como ele ficou diante dela, sacudindo a caixa prateada e dizendo de forma brusca: "Gente do Egito? Da Turquia? Da Virgínia? Estão todos misturados", Bertha percebeu que ela não apenas o entediava; ele não gostava mesmo dela. E concluiu, pela

* 114 *

maneira como a srta. Fulton disse "Não, obrigada, não vou fumar", que ela também percebera e ficara magoada.

Ah, Harry, não desgoste dela. Você está muito errado a respeito dela. Ela é magnífica, maravilhosa. E, além disso, como pode se sentir uma coisa dessas em relação a alguém que significa tanto para mim? Tentarei dizer o que está acontecendo para você quando formos nos deitar hoje à noite. O que nós duas compartilhamos.

Ao ouvir as últimas palavras, algo estranho e quase aterrorizante passou pela cabeça de Bertha. E esse algo ofuscante e sorridente sussurrou para ela: *Logo essas pessoas vão embora. A casa vai ficar quieta, bem quieta. As luzes vão se apagar. E você e ele ficarão sozinhos no quarto escuro, na cama quente...*

Ela pulou da cadeira e correu até o piano.

— Que pena que ninguém toca! — exclamou. — Que pena que ninguém toca!

Pela primeira vez na vida, Bertha Young desejou o marido. Ah, ela o amava; estava apaixonada por ele, era evidente, de todas as outras maneiras, mas apenas não daquele jeito. E, da mesma forma, claro, entendeu que ele era diferente. Eles discutiam isso com tanta frequência. A princípio, ela ficou muitíssimo preocupada ao perceber que era tão fria, porém, depois de um tempo, isso não pareceu mais importar. Eles eram tão francos um com o outro, tão bons amigos. Essa era a melhor parte de serem modernos.

Mas agora, ardia! Ardia! A palavra doía em seu corpo ardente! Era a isso que aquele sentimento de êxtase estava levando? Mas aí... aí...

— Meu bem — disse a sra. Norman Knight —, sabe que não queríamos ir, mas somos vítimas do tempo e dos trens. Vivemos em Hampstead. A noite foi ótima.

ÊXTASE

— Vou acompanhar vocês até a porta — disse Bertha. — Adorei a presença de vocês. Mas não podem perder o último trem. Uma pena, não é?

— Knight, gostaria de um uísque antes de ir? — perguntou Harry.

— Não, obrigado, meu velho.

Por causa disso, Bertha deu uma apertadinha na mão dele enquanto se despediam.

— Boa noite, até — gritou ela do último degrau, sentindo que aquele seu eu estava se despedindo deles para sempre.

Ao voltar para a sala, os outros estavam em movimento.

— ... Então você pode vir parte do caminho no meu táxi.

— Ficarei *muito* grato por *não* ter que enfrentar *outra* viagem *sozinho* depois da minha experiência *terrível*.

— Vocês podem pegar um táxi no ponto, logo no fim da rua. Não vão ter que caminhar mais do que alguns metros.

— Isso é ótimo. Vou vestir meu casaco.

A srta. Fulton se dirigiu para o corredor, e Bertha já a seguia quando Harry quase a empurrou.

— Deixe que eu vou.

Bertha sabia que ele estava arrependido de sua grosseria e o deixou ir. Ele era tão imaturo em alguns aspectos... tão impulsivo... tão... rude.

E Eddie e ela foram deixados perto da lareira.

— Você já *viu* o *novo* poema do Bilks, chamado *Table d'Hôte*? — disse Eddie baixinho. — É *tão* incrível. Saiu na última *Antologia*. Você tem uma cópia? Queria *tanto mostrá-lo* para você. Começa com um verso *incrivelmente* lindo: "Por Que Sempre Tem Que Ser Sopa de Tomate?".

— Sim — respondeu Bertha.

E ela foi, em silêncio, até a mesa oposta à porta da sala de estar, e Eddie a seguiu também em silêncio. Ela pegou um livrinho e entregou a ele; eles não deram um pio.

✳ 116 ✳

Enquanto ele procurava, ela virou a cabeça em direção ao corredor. E viu... Harry com o casaco da srta. Fulton em mãos, e a srta. Fulton de costas para ele, a cabeça jogada para trás. Ele largou o casaco, colocou as mãos nos ombros dela e a virou com violência para ele. Os lábios dele disseram:

— Eu adoro você.

E a srta. Fulton colocou os dedos enluarados nas bochechas dele e abriu um sorriso sonolento. As narinas de Harry tremeram; seus lábios se curvaram em um sorriso hediondo enquanto sussurrava:

— Amanhã.

E, com suas pálpebras, a srta. Fulton respondeu:

— Sim.

— Aqui está — disse Eddie. — "Por Que Sempre Tem Que Ser Sopa de Tomate?" É uma verdade tão *profunda*, não acha? A sopa de tomate não acaba *nunca*.

— Se preferir — disse a voz de Harry, bem alta, vinda do corredor —, posso chamar um táxi para vir até aqui.

— Ah, não. Não precisa — respondeu a srta. Fulton, e então se aproximou de Bertha e estendeu os dedos finos para segurá-la.

— Até. Muito obrigada.

— Até — disse Bertha.

A srta. Fulton segurou a mão dela por um instante a mais.

— Sua pereira é linda! — murmurou ela.

E então se foi, com Eddie em seu encalço, como o gato preto seguindo o gato cinza.

— Vou trancar a casa — anunciou Harry, extravagantemente calmo e controlado.

— Sua pereira é linda... linda... linda!

Bertha apenas correu até as grandes janelas.

— Ah, o que vai acontecer agora? — clamou ela.

Mas a pereira continuava linda como sempre, cheia de flores e imóvel.

DAMAS FEROZES

OS OUTROS DOIS

Edith Wharton

✦ 1904 ✦

Um homem está um pouco velho, mas acredita que sua nova esposa trará cor à sua vida. Não consegue imaginar que ela já foi casada duas vezes, ou por que saltou de um casamento para outro. Todos os outros homens, especialmente seus anteriores, precisam entender que, agora, ela tem dono.

I

Waythorn, na lareira da sala de estar, esperava a esposa descer para poderem jantar.

Era a primeira noite deles em sua própria casa, e ele estava surpreso, com uma inquietude juvenil. Claro, ele não era tão velho – o espelho mostrava alguém com pouco mais que os trinta e cinco anos, idade que a esposa lhe dava –, mas já se imaginava em um local de zona temperada. No entanto, ali estava ele, escutando os passos dela com uma noção carinhosa de tudo o que simbolizavam, com alguma trilha antiga de versos nupciais enfeitando os batentes da porta, que flutuavam enquanto ele os apreciava do agradável cômodo e do jantar que viria em seguida.

Foram chamados às pressas de volta da lua de mel devido à doença de Lily Haskett, filha do primeiro casamento da sra. Waythorn. A menininha, a pedido de Waythorn, fora transferida para a casa dele no dia do casamento da mãe, e o médico, ao chegar, deu a notícia de que ela estava com febre tifoide, mas atestou que os sintomas não eram graves. Lily poderia exibir doze anos de saúde imaculada, e o caso prometia ser leve. A enfermeira falou de maneira igualmente tranquilizadora, e após um momento de alvoroço, a sra. Waythorn adaptou-se à situação. Ela gostava muito de Lily – seu afeto pela criança talvez tivesse sido o fator decisivo para Waythorn se encantar por ela –, mas tinha o temperamento equilibrado que a filhinha herdara, e nenhuma mulher jamais gastara menos

OS OUTROS DOIS

lencinhos com preocupações improdutivas. Waythorn, portanto, estava bastante preparado para vê-la chegar em breve, um pouco atrasada por ter ido dar uma olhadinha em Lily, mas tão serena e bem-apresentada como se seu beijo de boa-noite tivesse sido dado na testa de alguém saudável. Sua compostura era tranquilizadora; ela atuava como lastro para as sensibilidades um tanto instáveis dele. Ao imaginá-la debruçada sobre a cama da criança, pensou em como a presença dela devia ser reconfortante durante a doença: o próprio passo dela seria um prognóstico de recuperação.

A vida dele havia sido cinzenta, mais por seu temperamento do que pelas circunstâncias, e ele fora atraído para ela pela alegria imperturbável que a mantinha renovada e flexível em uma idade na qual a maioria das atividades das mulheres se tornava fraca ou febril. Sabia o que diziam dela; pois, por mais popular que fosse, sempre houve uma leve tendência à depreciação. Quando ela apareceu em Nova York, nove ou dez anos antes, como a bela sra. Haskett que Gus Varick desenterrara em algum lugar – teria sido em Pittsburg ou Utica? –, a sociedade, embora a tivesse aceitado de prontidão, reservou-se o direito de pôr em dúvida em sua própria indiscriminação. O escrutínio, contudo, estabeleceu a ligação incontestável com uma família dominante perante a sociedade e explicou seu recente divórcio como o resultado natural de um casamento desenfreado aos dezessete anos; e como nada se sabia sobre o sr. Haskett, era fácil acreditar no pior dele.

O novo casamento de Alice Haskett com Gus Varick foi um passaporte para o círculo social cujo reconhecimento ela cobiçava, e por alguns anos os Varick foram o casal mais popular da cidade. Infelizmente, a aliança foi breve e tempestuosa, e dessa vez o marido teve seus defensores. Ainda assim, mesmo os apoiadores mais ferrenhos de Varick admitiram que ele não fora feito para o matrimônio, e as queixas da sra. Varick eram de uma natureza que poderia suportar o escrutínio dos tribunais de Nova York. Um

⁕ 120 ⁕

divórcio em Nova York é por si só um diploma de virtude, e, na semiviuvez dessa segunda separação, a sra. Varick assumiu uma aura de santidade e foi autorizada a confiar seus equívocos a alguns dos ouvidos mais escrupulosos da cidade. Porém, quando se soube que ela se casaria com Waythorn, houve uma reação momentânea. As melhores amigas dela teriam preferido vê-la permanecer no papel de esposa injustiçada, o que lhe era tão adequado quanto um véu de luto para uma pele rosada. Verdade seja dita, um tempo razoável já se passara, e sequer foi sugerido que Waythorn havia desbancado seu antecessor. Contudo, as pessoas balançavam a cabeça na direção dele, e um amigo relutante, a quem ele afirmou ter dado aquele passo de olhos abertos, respondeu, profético:

— Sim, e com as orelhas fechadas.

Waythorn podia se dar ao luxo de sorrir diante de tais insinuações. De acordo com o jargão de Wall Street, ele lhes tinha "dado um desconto". Sabia que a sociedade ainda não havia se adaptado às consequências do divórcio e que, até que a adaptação ocorresse, as mulheres que usassem a liberdade que a lei lhes concedia deviam ser a própria justificativa social. Waythorn entretinha-se com sua confiança na capacidade da esposa de se justificar. As expectativas dele foram atendidas e, antes do casamento, o grupo de Alice Varick se mobilizou abertamente em apoio a ela, que encarou a situação toda de maneira imperturbável: a mulher tinha um modo de superar obstáculos sem parecer ter consciência deles, e Waythorn olhava para trás, maravilhado, para as trivialidades pelas quais havia gastado sua paciência. Ele teve a sensação de ter encontrado refúgio em uma natureza mais rica e calorosa do que a sua própria e, naquele momento, seu bom humor resumia-se no pensamento de que a esposa, depois de fazer tudo o que podia por Lily, não se sentiria constrangida em descer e desfrutar de um bom jantar.

A expectativa de tal prazer não era, contudo, o sentimento expresso pelo rosto encantador da sra. Waythorn ao se juntar a ele.

OS OUTROS DOIS

Embora ela tivesse colocado seu vestido de ficar em casa mais atraente, esquecera-se de vestir o sorriso que o acompanhava, e Waythorn pensou que nunca a tinha visto aparentar tanta preocupação.

— O que foi? — perguntou ele. — Algo de errado com Lily?

— Não. Acabei de sair do quarto, e ela ainda está dormindo. — A sra. Waythorn hesitou. — Mas acabou de acontecer algo que me aborreceu.

Ele havia tomado as duas mãos da esposa, mas então percebeu que estava esmagando o papel que se encontrava entre elas.

— Esta carta?

— Sim... É do sr. Haskett... Quer dizer, do advogado dele.

Waythorn sentiu-se corar de maneira desconfortável. Ele largou as mãos da esposa.

— Sobre o quê?

— Sobre ver Lily. Você sabe que os tribunais...

— Sei, sim — interrompeu ele, aflito.

Nada se sabia sobre Haskett em Nova York. Supunha-se que ele teria permanecido nas trevas exteriores de onde sua esposa havia sido resgatada, e Waythorn era um dos poucos que estavam cientes de que ele havia desistido de seu negócio em Utica e a seguido até Nova York para ficar perto da filhinha. Quando ainda estava cortejando Alice, Waythorn muitas vezes encontrava Lily na soleira da porta, corada e sorridente, a caminho para "ver o papai".

— Sinto muito — murmurou a sra. Waythorn.

Ele saiu do transe.

— O que ele quer?

— Quer vê-la. Você sabe que ela vai para a casa dele uma vez por semana.

— Bom... Ele não espera que ela vá até lá agora, não é?

— Não... Ele ficou sabendo da doença dela. Mas quer vir até aqui.

— *Até aqui?*

✳ 122 ✳

A sra. Waythorn ficou ruborizada sob o olhar do marido. Eles desviaram o rosto um do outro.

— Temo que seja o direito dele... Veja bem... — Ela ergueu a carta em direção a Waythorn.

O homem se afastou com um gesto de recusa. Ficou encarando a sala iluminada de leve, que um momento antes parecia tão cheia de intimidade nupcial.

— Sinto muito — repetiu ela. — Se pudéssemos ter transferido Lily...

— Isso está fora de questão — respondeu o homem, impaciente.

— Foi o que imaginei.

O lábio dela estava começando a tremer, e ele se sentiu um bruto.

— Ele deve vir, é claro — disse Waythorn. — Quando é... o dia dele?

— Temo que... amanhã.

— Muito bem. Envie uma mensagem pela manhã.

O mordomo entrou para anunciar o jantar.

Waythorn virou-se para a esposa.

— Venha, deve estar cansada. É uma situação péssima, mas tente esquecer isso — disse ele, passando a mão dela pelo braço dele.

— Você é tão bom, querido. Vou tentar — sussurrou em resposta.

O rosto dela se iluminou de imediato, e quando olhou para ele, que estava atrás das flores, entre as sombras rosadas das velas, Waythorn viu os lábios dela se curvarem mais uma vez em um sorriso.

— Como tudo é lindo! — Ela soltou um suspiro, radiante.

O homem virou-se para o mordomo.

— O champanhe agora mesmo, por favor. A sra. Waythorn está cansada.

Em um momento ou dois, os olhos deles se encontraram por cima das taças borbulhantes. Os dela estavam muito iluminados e tranquilos: ele viu que ela havia obedecido à sua ordem e esquecido.

II

Na manhã seguinte, Waythorn foi à cidade mais cedo do que de costume. Era improvável que Haskett fizesse a visita até a parte da tarde, mas o instinto de fuga o impeliu a sair de casa. Pretendia ficar fora o dia todo; estava pensando em jantar em seu clube. Quando a porta se fechou atrás dele, concluiu que, antes de abri-la de novo, teria admitido outro homem que tinha tanto direito de entrar quanto ele, e esse pensamento o fez tremer de repugnância.

Ele pegou o horário de pico dos trabalhadores e viu-se esmagado entre duas camadas de humanidade pendular. Na Oitava Avenida, o homem que o encarava saiu, e outro tomou seu lugar. Waythorn ergueu o olhar e viu que era Gus Varick. Eles estavam tão próximos que foi impossível ignorar o sorriso de reconhecimento no rosto exageradamente bonito de Varick. E, afinal de contas... por que não? Eles sempre se deram bem, e Varick se divorciou antes que Waythorn começasse a prestar atenção em Alice. Os dois trocaram uma palavrinha sobre o eterno descontentamento dos trens congestionados e, quando o assento ao lado deles por um milagre ficou vazio, o instinto de autopreservação fez Waythorn sentar-se nele logo depois de Varick.

Varick respirou aliviado. Era o suspiro de um homem robusto.

— Meu Deus... já estava começando a me sentir como uma flor pressionada. — Ele recostou-se, olhando despreocupado para Waythorn. — Uma pena Sellers ter ficado doente de novo.

— Sellers? — Waythorn ecoou o nome de seu sócio.

Varick pareceu surpreso.

— Você não sabia que ele estava com gota?

— Não. Passei um tempo fora... Só voltei ontem à noite.

Waythorn sentiu-se enrubescer em antecipação ao sorriso do outro.

— Ah... sim. É claro. E a crise de Sellers foi há dois dias. Temo que ele deva estar bem mal. Um inconveniente para mim, mas acontece, porque ele estava me apresentando algo muito importante.

— Ah, é?

Waythorn perguntou-se de forma vaga desde quando Varick estava lidando com "algo importante". Até então, ele havia se envolvido apenas em poças rasas de especulação, com as quais o escritório de Waythorn em geral não se preocupava.

Ocorreu-lhe que talvez Varick estivesse falando aleatoriedades para aliviar a tensão de estarem próximos. Essa tensão estava se tornando a cada instante mais aparente para Waythorn, e quando, na Cortlandt Street, ele avistou um conhecido e visualizou a imagem que ele e Varick deviam estar passando para um olhar experiente, deu um pulo, murmurando uma desculpa.

— Espero que Sellers esteja melhor — disse Varick com educação. Em seguida, gaguejou: — Se precisar de mim... — E deixou que a multidão que partia o levasse para a plataforma.

No escritório, ficou sabendo que Sellers estava mesmo com gota e era provável que não conseguisse sair de casa por algumas semanas.

— Sinto muito por isso ter acontecido, sr. Waythorn — lamentou o assistente sênior, simpático. — O sr. Sellers ficou muito aborrecido com a ideia de dar-lhe tanto trabalho extra justo agora.

— Ah, não é um problema — comentou Waythorn, um tanto depressa demais.

Por dentro, acolheu com satisfação a pressão dos negócios a mais e ficou grato por pensar que, quando o dia de trabalho terminasse, teria de visitar a casa do sócio no caminho.

Estava atrasado para o almoço e foi para o restaurante mais próximo em vez de ir ao clube. O lugar estava lotado, e o garçom encaminhou-o até os fundos para ocupar a única mesa vaga. Em meio à nuvem de fumaça de charuto, Waythorn não distinguiu de imediato as pessoas próximas; porém, olhando ao redor, logo encontrou Varick sentado a poucos metros de distância. Dessa vez,

OS OUTROS DOIS

por sorte, estavam longe demais para conversar, e Varick, que estava de frente para o outro lado, provavelmente sequer o vira; mas havia certa ironia nesse novo momento de proximidade.

Diziam que Varick gostava de viver bem, e enquanto Waythorn estava sentado, almoçando com pressa, olhava, com certa inveja para o homem do outro lado que degustava sua refeição. Quando Waythorn o viu pela primeira vez, estava servindo-se, com deliberação crítica, de um pedaço de queijo Camembert no ponto ideal de liquefação. Agora, sem a fatia, ele apenas servia o café duplo no pequeno reservatório de barro de dois andares. Fazia-o devagar, o perfil corado curvado sobre a mesa, a mão branca cheia de anéis segurando com firmeza a tampa do bule. Em seguida, estendeu a outra mão para a garrafa de conhaque perto do cotovelo; encheu uma taça de licor, tomou um gole hesitante e despejou o conhaque na xícara de café.

Waythorn observou-o com um quê de fascínio. No que ele estaria pensando, apenas no sabor do café e do licor? Não haveria o encontro deles naquela manhã deixado mais vestígios no pensamento dele que em seu rosto? Teria a esposa ficado em uma época tão distante de sua vida que mesmo encontrar o atual marido dela, uma semana após ela ter se casado de novo, não passara de um mero incidente para ele? E enquanto Waythorn refletia, outra ideia atingiu sua mente: teria Haskett alguma vez encontrado Varick da mesma forma que Varick e Waythorn acabaram de encontrar-se? A lembrança de Haskett o perturbou, então ele se levantou e saiu do restaurante, tomando um caminho tortuoso para escapar da ironia plácida que seria o aceno de Varick.

Já passava das sete quando Waythorn chegou em casa. Ele pensou ter visto o criado que abrira a porta para ele olhando-o de forma estranha.

— Como está a srta. Lily? — perguntou Waythorn, precipitado.

— Indo muito bem, senhor. Um cavalheiro...

— Diga a Barlow para atrasar o jantar por meia hora. — Waythorn o interrompeu, subindo as escadas às pressas.

* 126 *

Foi direto para o próprio quarto e trocou-se antes de ver a esposa. Quando chegou à sala de estar, lá estava ela, doce e radiante. O dia de Lily fora bom; o médico não voltaria naquela noite.

No jantar, Waythorn contou a ela sobre a doença de Sellers e as complicações resultantes disso. Ela ouviu com simpatia, aconselhando-o a não se deixar sobrecarregar e fazendo perguntas vagamente femininas sobre a rotina dele no escritório. Então contou a ele como havia sido o dia de Lily; repetiu as palavras da enfermeira e do médico, e disse-lhe quem havia telefonado para perguntar dela. Ele nunca a tinha visto mais calma e serena. Ocorreu-lhe, com uma estranha pontada, que ela estava muito feliz por estar com ele, tanto que sentia um prazer infantil em relembrar os incidentes triviais do dia.

Depois do jantar, foram para a biblioteca, e o criado serviu o café e as bebidas em uma mesa baixa diante dela e saiu do cômodo. Ela parecia delicada e feminina de maneira especial com o vestido rosa-claro, contrastando com o couro escuro de uma das poltronas dele. Fosse um dia antes, o contraste o teria encantado.

Contudo, ele virou-se e escolheu um charuto com uma deliberação artificial.

— Haskett veio aqui? — perguntou, de costas para ela.

— Ah, sim... veio.

— Você não o viu, certo?

Ela hesitou por um momento.

— Eu o deixei com a enfermeira.

Isso foi tudo. Não havia mais nada a perguntar. Ele voltou-se para ela, acendendo o charuto com um fósforo. Bem, não teria de lidar com isso por mais uma semana, pelo menos. Tentaria não pensar no assunto. Ela olhou para o marido um pouco mais corada que o normal, com um sorriso nos olhos.

— Pronto para o café, querido?

Ele se apoiou no aparador da lareira, observando-a enquanto ela erguia o bule. A luz da lamparina refletia um brilho em suas pulseiras e iluminava seu cabelo macio. Como era muito tranquila e esbelta, e como cada gesto seu fluía para o seguinte! Parecia uma criatura que condensava todas as harmonias. À medida que o pensamento sobre Haskett se esvaía, Waythorn sentiu-se de novo cedendo à alegria da posse. Eram dele, aquelas mãos brancas com seus movimentos esvoaçantes, a bruma clara do cabelo, os lábios e olhos...

Ela largou o bule e, pegando a garrafa de conhaque, mediu uma taça de licor e despejou-a na xícara dele.

Waythorn soltou uma exclamação repentina.

— O que foi? — perguntou ela, assustada.

— Nada. É só que... eu não tomo conhaque com café.

— Ah, que burrice a minha — lamentou ela.

Os olhos dos dois se encontraram, e de repente ela corou em um tom de vermelho agonizante.

III

Dez dias depois, o sr. Sellers, ainda preso em casa, pediu a Waythorn para dar uma passadinha lá quando fosse para o centro da cidade.

O sócio sênior, com o pé enfaixado e apoiado perto da lareira, cumprimentou o outro com ar de constrangimento.

— Sinto muito, meu caro amigo. Preciso pedir para você fazer algo embaraçoso por mim.

Waythorn esperou, e o homem continuou, depois de uma pausa ao que tudo indicava dada à disposição de suas frases:

— O caso é o seguinte: quando fiquei doente, havia acabado de entrar em um negócio bastante complicado para... Gus Varick.

— E então? — disse Waythorn, numa tentativa de deixá-lo à vontade.

— Então... foi assim: Varick veio me ver um dia antes da minha crise. Ficou evidente que ele tinha recebido informações privilegiadas de alguém e acabou ganhando cerca de cem mil. Veio me pedir conselhos, e sugeri que ele fosse com Vanderlyn.

— Ah, que droga! — exclamou Waythorn. Ele percebeu num piscar de olhos o que havia acontecido. O investimento era atraente, mas exigia negociação. Ouviu em silêncio enquanto Sellers lhe apresentava o caso, e, ao final de tudo, disse: — Acha que eu deveria ver Varick?

— Infelizmente eu ainda não posso ir. O médico está inflexível. E isso não pode esperar. Detesto pedir isso para você, só que mais ninguém no escritório sabe lidar com os pormenores desse caso.

Waythorn ficou em silêncio. Ele não se importava nem um pouco com o sucesso do empreendimento de Varick, mas a honra do escritório deveria ser levada em conta, e seria difícil recusar-se a ajudar o sócio.

— Muito bem — disse Waythorn, por fim. — Vou falar com ele.

Naquela tarde, notificado por telefone, Varick foi até o escritório. Waythorn, esperando em sua sala individual, perguntou-se o que os outros pensariam disso. Os jornais, na época do casamento da sra. Waythorn, haviam informado aos leitores de todos os detalhes de suas empreitadas matrimoniais anteriores, e Waythorn imaginou os funcionários sorrindo pelas costas de Varick quando ele chegasse.

Varick se comportou de maneira admirável. Ele era acessível sem ser indigno, e Waythorn tinha consciência de ser muito menos impressionante. Varick não tinha experiência com negócios, e a conversa prolongou-se por quase uma hora enquanto Waythorn expunha com escrupulosa precisão os detalhes da transação proposta.

— Sou muito grato a você — disse Varick ao se levantar. — A questão é que não estou acostumado a ter que cuidar de tanto dinheiro e não quero fazer papel de tolo... — Ele sorriu, e Waythorn não pôde deixar de notar que havia alguma coisa agradável em seu sorriso. — É incomum e estranho ter dinheiro o bastante para pagar as contas. Eu teria vendido minha alma por isso alguns anos atrás!

Waythorn estremeceu com a insinuação. Ouvira rumores de que a falta de dinheiro havia sido uma das causas determinantes da separação de Varick, mas não lhe ocorreu que as palavras do homem tivessem sido intencionais. Parecia mais provável que o desejo de manter-se afastado de assuntos embaraçosos o tivesse atraído para um deles de maneira fatal. Waythorn não queria ser superado no quesito polidez.

— Vamos fazer o nosso melhor para você — garantiu ele. — O negócio em que você está parece muito bom.

— Ah, tenho certeza de que é ótimo. É muita gentileza sua... — Varick interrompeu-se, envergonhado. — Suponho que as coisas estejam resolvidas agora... mas se...

— Se alguma coisa acontecer antes de o Sellers voltar, nós nos veremos de novo — respondeu Waythorn, com tranquilidade.

No fim, ele ficou satisfeito por parecer o mais controlado dos dois.

O curso da doença de Lily correu bem, e, com o passar dos dias, Waythorn se acostumou à ideia da visita semanal de Haskett. Na primeira vez que o dia chegou, ele ficou fora até tarde e questionou a esposa a respeito da visita assim que chegou. Ela respondeu de imediato que Haskett vira apenas a enfermeira lá embaixo, porque o médico não queria ninguém no quarto da criança até depois da crise.

Na semana seguinte, Waythorn estava de novo consciente a respeito do que aconteceria naquele dia, mas já havia se esquecido quando chegou em casa para o jantar. A crise da doença veio poucos dias depois, com uma rápida queda da febre, e foi atestado que a menininha estava fora de perigo. Na alegria que se seguiu, a lembrança de Haskett desapareceu da mente de Waythorn e, em uma tarde, ao entrar em casa, ele foi direto para o escritório sem notar um chapéu surrado e um guarda-chuva no corredor.

No escritório, encontrou um homenzinho de aparência ofuscada, com uma barba rala e grisalha, sentado na beirada de uma poltrona. O desconhecido poderia ser um afinador de piano ou uma daquelas pessoas misteriosamente eficientes convocadas em emergências para ajustar algum detalhe da maquinaria doméstica. Ele olhou para Waythorn detrás dos óculos de armação dourada e disse com calma:

— Sr. Waythorn, suponho? Sou o pai de Lily.

Waythorn corou.

— Ah... — gaguejou ele, desconfortável.

Ele se deteve, pois não gostava de parecer rude. Em seu interior, estava tentando ajustar a imagem do Haskett da vida real com o Haskett projetado na mente dele pelas reminiscências de sua esposa. Waythorn inferira que o primeiro marido de Alice fosse um bruto.

— Lamento incomodar — disse Haskett, com sua polidez exagerada.

— Não precisa se desculpar — respondeu Waythorn, recompondo-se. — A enfermeira já sabe que o senhor está aqui?

— Acredito que sim. Posso esperar — disse Haskett.

Ele tinha um modo de falar resignado, como se a vida tivesse esgotado sua capacidade natural de resistência.

Waythorn estava na soleira da porta, tirando as luvas com certo nervosismo.

— Sinto muito por ter ficado esperando. Vou mandar chamarem a enfermeira — disse ele. E, ao abrir a porta, acrescentou com certo esforço: — Fico feliz por *nós* podermos lhe dar boas notícias sobre Lily. — Ele estremeceu ao dizer "nós", mas Haskett pareceu não notar.

— Obrigado, sr. Waythorn. Tem sido um momento angustiante para mim.

— Ah, bom, isso vai passar logo. Em breve, ela poderá ir até o senhor. — Waythorn assentiu e deixou o cômodo.

No quarto, ele se jogou na poltrona com um gemido. Detestava a sensibilidade feminina que o fazia sofrer de forma tão intensa com as oportunidades grotescas da vida. Sabia, quando se casara, que os ex-maridos da esposa estavam vivos e que, em meio às múltiplas formas de contato da modernidade, havia mil chances de que esbarrasse em um ou outro. No entanto, sentiu-se tão perturbado pelo breve encontro com Haskett que era como se a lei não tivesse gentilmente removido todas as dificuldades para facilitar o encontro.

Waythorn levantou-se em um salto e começou a andar pelo quarto com certo nervosismo. Não havia sofrido nem metade daquilo nas duas vezes em que encontrara Varick. Foi a presença de Haskett em sua própria casa que tornara a situação tão intolerável. Ficou parado, ouvindo os passos no corredor.

— Por aqui, por favor. — Ele ouviu a enfermeira dizer.

Então Haskett estava sendo levado para o andar de cima: não havia um canto da casa que não estivesse aberto para ele. Waythorn deixou-se cair em outra poltrona, fitando à frente com o olhar vago. Na penteadeira, havia uma fotografia de Alice, tirada quando a conheceu. Ela era Alice Varick na época – ele a considerava tão bela e requintada! As pérolas em seu pescoço eram de Varick. A pedido de Waythorn, elas foram devolvidas após o casamento. Então, Waythorn perguntou-se: teria alguma vez Haskett dado a ela algum adorno? E, se sim, o que teria acontecido com eles? De repente, percebeu que sabia muito pouco sobre a situação do passado ou do presente de Haskett; porém, pela aparência do homem e por seu modo de falar, pôde reconstruir com uma precisão curiosa o ambiente do primeiro casamento de Alice. E surpreendeu-o pensar que ela tivera, no passado, uma realidade tão diferente de qualquer coisa com a qual ele a havia ligado. Varick, quaisquer que fossem seus defeitos, era um cavalheiro, no sentido convencional e tradicional do termo: o sentido que naquele momento parecia, por incrível que parecesse, ter o maior significado para Waythorn. Ele e Varick tinham os mesmos hábitos sociais, falavam a mesma língua, entendiam as mesmas referências. Mas este outro homem... O fato de Haskett usar uma gravata confeccionada com elástico ao redor do pescoço dominava a mente de Waythorn de maneira grotesca. Por que esse detalhe ridículo deveria resumir o homem por inteiro? Waythorn ficou exasperado com a própria insignificância, mas o fato de a gravata se esticar, grudar na garganta dele, foi como uma chave para o passado de Alice. Ele conseguia imaginá-la como a sra. Haskett, sentada em uma "sala de visitas" com mobílias felpudas, uma pianola e uma cópia de *Ben Hur* na mesa de centro. Conseguia imaginá-la indo ao teatro com Haskett, ou talvez até a uma "Reunião de Igreja", ela com um "chapéu de gala" e Haskett com um fraque preto, um tanto amassado, e a gravata com elástico. No caminho para casa, deviam parar e olhar as vitrines iluminadas, demorando-se nas fotografias de atrizes nova-iorquinas. Nos domingos à tarde, Haskett devia levá-la para passear, empurrando Lily à frente deles em um carrinho de bebê esmaltado de branco, e Waythorn imaginava as pessoas com quem deviam parar e conversar. Conseguia visualizar como Alice devia ser bonita, em um vestido confeccionado com habilidade, tendo como base as dicas de um jornal de moda de Nova York, e como ela devia desprezar outras mulheres, irritando-se com a vida delas e em segredo sentindo que pertencia a um lugar maior.

No momento, seu principal pensamento era o de admiração pela forma como ela abandonara as implicações da existência de seu casamento com Haskett. Era como se toda sua aparência, cada gesto, cada entonação e cada referência fosse uma negação àquele período de sua vida. Se tivesse negado ter sido casada com Haskett, dificilmente poderia ter sido mais condenada por desonestidade do que pela destruição de sua versão que teria sido esposa dele.

Waythorn deu um pulo, verificando a si mesmo na análise dos motivos dela. Que direito ele tinha de criar uma fantasia dela e julgá-la com base na própria imaginação? Ela falara de maneira vaga do primeiro casamento, descrevendo-o como infeliz, e insinuara, com reticências, que Haskett havia causado estragos em suas jovens ilusões... Era uma pena para a paz de espírito de Waythorn que Haskett, de maneira inofensiva, tivesse lançado uma nova luz sobre a natureza dessas ilusões. Os homens preferiam pensar que a esposa havia sido brutalizada pelo primeiro marido do que saber que o processo fora o inverso.

IV

— Sr. Waythorn, não gosto daquela governanta francesa de Lily.

Haskett, contido e compungido, parou diante de Waythorn na biblioteca, girando o chapéu surrado na mão.

Surpreso, Waythorn, sentado na poltrona com o jornal vespertino à sua frente, olhou perplexo para o visitante.

— Peço desculpas por pedir para vê-lo — Haskett continuou a falar —, mas esta é minha última visita, e pensei que conversar com o senhor seria melhor do que escrever para o advogado da sra. Waythorn.

Waythorn levantou-se, inquieto. Ele também não gostava da governanta francesa; mas isso era irrelevante.

— Não estou tão certo a respeito disso — respondeu ele, rígido. — Mas, como o senhor deseja, passarei a mensagem para... minha esposa.

Ele sempre hesitava em usar o pronome possessivo quando falava com Haskett.

O visitante suspirou.

— Não sei se vai ajudar. Ela não gostou quando falei com ela.

Waythorn ficou enrubescido.

— Quando o senhor a viu? — perguntou.

— Não a vejo desde o primeiro dia em que vim ver Lily... logo depois que ela ficou doente. Comentei com ela naquele dia que não gostava da governanta.

Waythorn não respondeu. Lembrou-se bem de que, depois daquela primeira visita, havia perguntado à esposa se ela vira Haskett. Ela havia mentido para ele, nesse caso, mas respeitara seu desejo desde então; e o incidente lançou uma luz curiosa sobre o caráter dela. Ele tinha certeza de que ela não teria visto Haskett naquele

✳ 134 ✳

primeiro dia se tivesse adivinhado que Waythorn iria se opor, e o fato de ela não ter presumido isso foi quase tão desagradável para ele quanto a descoberta de que ela havia mentido.

— Não gosto da mulher — repetia Haskett com certa persistência. — Ela não é uma moça direita, sr. Waythorn. Ensinará a criança a ser dissimulada. Percebi uma mudança em Lily... Ela está ansiosa demais e nem sempre diz a verdade. Ela costumava ser uma criança muito correta, sr. Waythorn. — Ele parou de falar, a voz um pouco áspera. — O que quero é que ela seja educada de maneira elegante — concluiu.

Waythorn ficou sensibilizado.

— Sinto muito, sr. Haskett, mas, com sinceridade, não sei o que posso fazer.

Haskett hesitou. Depois, colocou o chapéu na mesa e avançou até o tapete da lareira, onde Waythorn encontrava-se de pé. Não havia nenhuma agressividade em seus modos, mas ele tinha a solenidade de um homem tímido decidido a tomar uma medida decisiva.

— Só há uma coisa a ser feita, sr. Waythorn — declarou ele. — O senhor pode lembrar a sra. Waythorn que, por decreto nos tribunais, tenho direito de ter voz na educação de Lily. — Ele fez uma pausa, e então continuou de forma mais depreciativa: — Não sou do tipo que fala muito sobre aplicar meus direitos, sr. Waythorn. Não sei, pois acho que homens têm direitos que não sabem como manter; mas essa questão da criança é diferente. Jamais deixei isso para lá... e pretendo nunca deixar.

A conversa deixou Waythorn bastante abalado. De maneira constrangedora e indireta, estava descobrindo mais a respeito de Haskett; e tudo o que aprendera fora positivo. Aquele homenzinho, para ficar perto da filha, vendera sua parte em um negócio lucrativo em Utica e aceitara um cargo modesto de assistente em uma fábrica em Nova

York. Ele se instalara em uma pensão que ficava numa rua pobre, onde tinha poucos conhecidos. Seu amor por Lily preenchia sua vida. Waythorn sentiu que esse escrutínio a respeito de Haskett era como tatear com uma lanterna escura no passado da esposa; mas agora via que havia lugares que a lanterna não havia explorado. Ele nunca havia esquadrinhado as circunstâncias exatas da primeira ruptura matrimonial da esposa. Na superfície, tudo havia sido justo. Foi ela quem fez o pedido de divórcio, e o tribunal havia lhe dado a guarda da criança. Mas Waythorn sabia quantas ambiguidades o veredito podia cobrir. O simples fato de Haskett manter o direito sobre a filha implicava em um compromisso insuspeito. Waythorn era um idealista. Ele sempre se recusava a reconhecer contingências desagradáveis até que se viu confrontado com elas, e então viu-as seguidas por uma série espectral de consequências. Sendo assim, seus dias seguintes foram assombrados, e ele decidiu tentar afastar os fantasmas ao invocá-los na presença da esposa.

Quando repetiu o pedido de Haskett, uma centelha de raiva passou pelo rosto de Alice; mas ela a subjugou no mesmo instante, dizendo, com um leve tremor da maternidade ultrajada:

— É muito pouco cavalheiresco da parte dele — alegou.

A palavra irritou Waythorn.

— Não é nem uma coisa, nem outra. É uma simples questão de direitos.

— Não é como se ele pudesse ajudar Lily... — murmurou ela.

Waythorn corou. Isso era menos ainda do gosto dele.

— A questão é — repetiu ele —: que autoridade ele tem sobre ela? Ela baixou os olhos, remexendo-se de leve no assento.

— Estou disposta a falar com ele... Pensei que você se opusesse. — A voz dela vacilou.

Num piscar de olhos, ele compreendeu que ela conhecia a extensão das reivindicações de Haskett. Talvez não fosse a primeira vez que tivesse resistido a elas.

✳ 136 ✳

— Minha objeção não tem nada a ver com isso — disse ele com frieza. — Se Haskett tem o direito de ser consultado, você deve falar com ele.

Ela caiu em prantos, e Waythorn percebeu que ela esperava que ele a considerasse a vítima.

Haskett não abusava de seus direitos. Waythorn tinha certeza absoluta de que não o faria. Portanto, a governanta foi demitida, e de vez em quando aquele homem exigia uma reunião com Alice. Depois da primeira explosão, ela aceitou a situação com sua habitual adaptabilidade. Dado momento, Waythorn associou Haskett com um afinador de piano, e a sra. Waythorn, depois de um mês ou dois, pareceu classificá-lo como alguém de casa. Waythorn não pôde deixar de respeitar a persistência do pai. A princípio, tentara cultivar a suspeita de que Haskett poderia estar "planejando algo", de que seu objetivo era garantir uma posição segura na casa. Mas, no fundo, Waythorn tinha certeza da obstinação de Haskett; até mesmo imaginou nele um leve desprezo pelas vantagens que sua relação com os Waythorn poderia oferecer. A sinceridade de Haskett tornou-o invulnerável, e seu sucessor teve que aceitá-lo como um ônus sobre a propriedade.

O sr. Sellers foi mandado para a Europa para se recuperar da gota, portanto, os assuntos de Varick ficaram nas mãos de Waythorn. As negociações foram longas e complicadas. Elas exigiam conferências frequentes entre os dois homens, e os interesses da empresa proibiam Waythorn de sugerir que seu cliente transferisse o negócio para outro escritório.

Varick parecia bem na transação. Em momentos mais tranquilos, seu traço grosseiro surgia, fazendo Waythorn temer sua genialidade; porém, no escritório, ele era conciso e lúcido, com uma deferência lisonjeira ao julgamento de Waythorn. Já que a relação comercial deles estava estabelecida de modo tão amigável, seria um absurdo eles se ignorarem em outros ambientes. A primeira vez em que se encontraram em uma sala de estar, Varick retomou a convivência no mesmo tom relaxado, e o olhar agradecido da anfitriã obrigou Waythorn a retribuir. Depois disso, encontraram-se com frequência, e, certa noite, em um baile, Waythorn, vagando pelos cômodos mais remotos, encontrou Varick sentado ao lado da esposa. Ela corou de leve e vacilou no que dizia; mas Varick acenou com a cabeça para Waythorn sem se levantar, então o homem seguiu em frente.

No caminho de casa, ele explodiu, nervoso:

— Não sabia que você falava com o Varick.

A voz dela tremeu de leve.

— Foi a primeira vez... Ele estava perto de mim, eu não sabia o que fazer. Foi tão constrangedor esbarrar nele o tempo todo... E ele disse que você foi muito gentil fazendo negócios com ele.

— Essa é outra história.

Ela fez uma pausa.

— Vou fazer o que está pedindo — respondeu ela de maneira doce. — Achei que seria menos constrangedor falar com ele quando nos encontramos.

A docilidade dela estava começando a enjoá-lo. Será que ela não tinha mesmo vontade própria, nenhuma teoria a respeito do relacionamento dela com aqueles homens? Ela havia aceitado Haskett; então, tivera a intenção de aceitar Varick? Fora "menos constrangedor", como ela havia dito, e seu instinto era fugir nas dificuldades ou ao menos contorná-las. Com uma súbita vivacidade, Waythorn entendeu como o instinto se desenvolvera. Ela era "tão fácil quanto calçar um sapato velho", sapato esse que muitos pés já haviam usado. A elasticidade dela era resultado da tensão que se espalhara em muitas direções diferentes. Alice Haskett... Alice Varick... Alice Waythorn... Ela havia sido cada uma delas e deixara pendente em cada nome um pouco de sua privacidade, um pouco de sua personalidade, um pouco de seu eu mais íntimo onde habita o deus desconhecido.

138

— É... Seria melhor falar com o Varick — admitiu Waythorn, cansado.

V

O inverno passou, e a sociedade tirou proveito do fato de os Waythorn terem aceitado Varick. As anfitriãs incomodadas ficaram gratas por terem superado uma dificuldade social, e a sra. Waythorn foi considerada um milagre de bom gosto. Algumas almas mais experimentais não conseguiram resistir à diversão de colocar Varick e a ex-esposa juntos, e houve quem pensasse que o homem ficava entusiasmado com a proximidade. Mas a conduta da sra. Waythorn permaneceu irrepreensível. Ela não evitou Varick, nem o procurou. Mesmo Waythorn não podia deixar de admitir que havia descoberto a solução para o mais novo problema social.

Ele se casara com ela sem pensar muito nesse problema. Imaginara que as mulheres pudessem abandonar seu passado como fazem os homens. Mas agora via que Alice estava ligada ao passado, tanto pelas circunstâncias que a forçavam a manter uma relação contínua com ele quanto pelos traços que ele deixara em seu caráter. Com uma ironia sombria, Waythorn comparou-se a um membro de uma corporação. Ele detinha muitas ações na personalidade da esposa, mas seus antecessores eram seus sócios no negócio. Se houvesse algum elemento de desejo na transação, ele teria se sentido menos deteriorado por ela. O fato de Alice encarar a troca de maridos como uma mudança no clima reduzia a situação à mediocridade. Ele poderia tê-la perdoado pelos erros, pelos excessos; por resistir a Haskett, por ceder a Varick; por qualquer coisa, exceto sua submissão e diplomacia. Ela o lembrava a um malabarista atirando facas; mas as facas eram cegas, e ela sabia que nunca a cortariam.

E então, aos poucos, o hábito formou uma superfície protetora para as sensibilidades dele. Se pagasse pelo conforto de cada dia com os pequenos trocados de suas ilusões, passaria a valorizar mais o conforto e a dar menos importância à moeda. Havia adquirido uma proximidade monótona com Haskett e Varick, e refugiou-se na vingança barata de satirizar a situação. Até mesmo começou a avaliar as vantagens vindas com isso, a perguntar a si mesmo se não seria melhor possuir um terço de uma esposa que sabia como fazer um homem feliz do que uma esposa inteira que havia perdido a oportunidade de aprender essa arte. Porque *era* uma arte, e feita, como todas as outras, de concessões, eliminações e aprimoramentos; de luzes lançadas com cuidado e sombras suavizadas com habilidade. A esposa sabia o modo exato de controlar as luzes, e ele sabia bem a que treinamento ela devia a habilidade. Ele até tentou rastrear a origem de suas obrigações, a separar as influências que se combinaram para produzir sua felicidade doméstica: percebeu que a vulgaridade de Haskett havia feito Alice adorar a boa educação, enquanto a construção liberal do vínculo matrimonial de Varick a ensinou a valorizar as virtudes conjugais. Por isso, ele tinha uma dívida direta com seus antecessores pela devoção que tornava sua vida fácil, se não, inspiradora.

Após essa fase, ele passou para a de aceitação completa. Deixou de se satirizar porque o tempo entorpeceu a ironia da situação e a piada perdeu o humor com o amargor. Até mesmo a visão do chapéu de Haskett na mesa da entrada deixou de tocar as fontes do epigrama. Agora, o chapéu era visto ali com frequência, já que fora decidido que era melhor o pai de Lily visitá-la do que a menina ir para a pensão onde ele morava. Waythorn, que concordara com o acordo, ficou surpreso ao descobrir que fazia pouquíssima diferença; Haskett nunca foi intrusivo, e os poucos visitantes que o encontravam nas escadas desconheciam sua identidade. Waythorn não sabia quantas vezes Haskett via Alice, mas era raro que se encontrasse com ele.

Certa tarde, porém, ao entrar, ele soube que o pai de Lily estava esperando para vê-lo. Na biblioteca, encontrou Haskett sentado em uma poltrona sem se acomodar muito, como de costume. Waythorn sempre se sentia grato por ele não se recostar.

✳ 140 ✳

— Lamento o incômodo, sr. Waythorn — disse ele, levantando-se. — Gostaria de falar com a sra. Waythorn sobre Lily, e seu
criado me pediu para esperar aqui até que ela chegasse.

— Claro — disse Waythorn, lembrando-se de que um vazamento
repentino naquela manhã deixara a sala de estar aos encanadores.

Ele abriu a caixa de charutos e estendeu-a ao visitante, e
aceitação de Haskett pareceu marcar uma nova fase na re
dos dois. A noite de primavera estava fria, e Waythorn d
o convidado puxar a poltrona para mais perto do
tendia encontrar uma de

nção da
rick entrou no
se de repente. Era a primeira vez que
Varick ia a sua casa, e a surpresa de vê-lo, combinada com a sin-
gular inoportunidade de sua chegada, deu uma nova extremidade
à sensibilidade embotada de Waythorn. Ele encarou o visitante
sem dizer nada.

Varick parecia preocupado demais para notar o constrangimento de seu anfitrião.

— Meu caro amigo — exclamou ele em seu tom mais expansivo
—, peço desculpas por ter entrado dessa maneira, mas era tarde
demais para encontrá-lo no centro, então pensei...

Ele parou de repente, avistando Haskett, e seu rosto enrubesceu
num tom de vermelho escuro que se espalhou de maneira vívida
sob o cabelo loiro e ralo. Porém, em um instante, ele se recuperou,
assentindo de leve. Haskett retribuiu o cumprimento em silêncio,
e Waythorn ainda tentava falar quando o criado entrou carregando
uma bandeja de chá.

A intrusão aliviou o nervosismo de Waythorn.

— Por que é que você está trazendo isso aqui? — perguntou
ele de repente.

OS OUTROS DOIS

— Me perdoe, senhor, mas os encanadores ainda estão na sala de estar, e a sra. Waythorn disse que gostaria de tomar chá na biblioteca. — O tom perfeitamente respeitoso do criado implicava uma reflexão a respeito do bom senso de Waythorn.

— Ah, muito bem, então — disse o homem, resignado, e o criado começou a abrir a bandeja dobrável de chá e expor seus detalhes complicados. Enquanto o processo interminável continuava, os três homens permaneceram imóveis, observando o empregado com um olhar fascinado, até que Waythorn, a fim de quebrar o silêncio, disse a Varick: — Gostaria de um charuto?

Ele estendeu a caixa que acabara de entregar a Haskett, e Varick serviu-se com um sorriso. Waythorn procurou um fósforo, e, sem ter encontrado nenhum, acendeu-o com o próprio charuto. Haskett, ao fundo, manteve-se firme, analisando a ponta do charuto e, em seguida, dando um passo à frente no momento certo para jogar as cinzas na lareira.

O criado enfim se retirou, e Varick, no mesmo instante, voltou a falar:

— Se eu pudesse apenas dar só uma palavrinha com você sobre os negócios...

— Com certeza — gaguejou Waythorn. — Na sala de jantar...

Contudo, assim que colocou a mão na porta, ela se abriu, e a esposa apareceu na soleira.

Ela entrou, doce e sorridente, usando seu vestido de rua e um chapéu, uma fragrância exalando do cachecol de plumas, que afrouxou ao avançar.

— Vamos tomar um chá aqui, querido? — disse ela, e então avistou Varick. O sorriso dela aumentou, ocultando um leve tremor de surpresa. — Ora, como vai? — perguntou ela, com uma distinta nota de prazer.

Ao apertar a mão de Varick, ela viu Haskett parado atrás dele. Seu sorriso desapareceu por um momento, mas lembrou-se de botá-lo no rosto bem depressa, com um olhar de soslaio quase imperceptível para Waythorn.

* 142 *

— Como vai, sr. Haskett? — disse ela, e cumprimentou-o com um aperto de mãos menos cordial.

Os três homens ficaram parados diante dela, desajeitados, até que Varick, sempre o mais controlado, disparou uma frase explicativa:

— Nós... Eu precisava conversar por um instante com Waythorn sobre os negócios — gaguejou ele, vermelho do queixo à nuca, feito um tijolo.

Haskett deu um passo à frente com um ar de leve obstinação.

— Lamento interromper, mas a senhora tinha marcado às cinco horas... — Ele dirigiu o olhar resignado para o relógio sobre a lareira.

Ela afastou o constrangimento deles com um gesto encantador de hospitalidade.

— Sinto muito... Vivo atrasada. Mas a tarde estava tão agradável. — Ela tirou as luvas, afável e graciosa, irradiando uma sensação de conforto e familiaridade, fazendo com que a situação perdesse a estranheza. — Mas, antes de falar de negócios — acrescentou ela com alegria —, tenho certeza de que todos querem uma xícara de chá.

Ela deixou-se cair na poltrona baixa junto à mesa de chá, e os dois visitantes, como que atraídos por seu sorriso, avançaram para receber as xícaras que ela lhes estendia.

Ela olhou em volta à procura de Waythorn, e ele pegou a terceira xícara com uma risada.

DAMAS FEROZES

A BELA DANÇARINA DE EDO

Grace James

✱ 1910 ✱

Ouhora ha dança em seu próprio passo em meio ao ritmo de uma sociedade na qual o destino das mulheres é traçado por expectativas de uma sociedade patriarcal. Para conseguir florir, precisará estar disposta a fazer sacrifícios e escolhas em solos inférteis.

sta é a história de Sakura-ko, a Flor de Cerejeira, uma linda dançarina de Edo.[9] Ela era uma gueixa, filha de um samurai, que se entregou à escravidão depois que o pai morreu para que a mãe tivesse o que comer. Ah, que lástima! O dinheiro que a comprou era chamado de *Namida no Kané*, que significa "o dinheiro das lágrimas".

Ela morava na rua estreita das gueixas, na qual as lanternas vermelhas e brancas ondulam e as ameixeiras florescem ao cair da tarde. A rua das gueixas é cheia de música, uma vez que elas tocam o samisém[10] lá o dia todo.

Sakura-ko também tocava; de fato, era habilidosa em todas as belas artes. Tocava o samisém, o *koto*,[11] a *biwa* e o pequeno tambor de mão. Ela compunha e cantava. Seus olhos eram compridos, o cabelo, preto, e as mãos, brancas. Sua beleza era esplêndida, e maravilhoso era seu desejo de agradar. Do amanhecer ao anoitecer, era capaz de seguir sorrindo e escondendo o próprio coração. No frescor do dia, ficava na sacada da casa de sua senhora a refletir, observando a rua das gueixas.

~~~~~~~~

9   Edo (江戸) é o antigo nome da capital do Japão, hoje conhecida como Tóquio. [N. P.]

10   Samisém é um instrumento musical japonês, com três cordas, cuja caixa de ressonância tem um tampo de pele de gato ou cobra. O instrumento é similar a um banjo. [N. R.]

11   O *koto* é um instrumento musical de cordas dedilhadas, composto por uma caixa de ressonância com várias cordas. Atualmente, é o mais popular entre os instrumentos musicais tradicionais japoneses, não apenas devido à sua sonoridade, mas também por sua longa história que remonta ao século VI. [N. R.]

A BELA DANÇARINA DE EDO

E aqueles que passavam falavam uns aos outros:

— Veja, lá está Sakura-ko, a Flor de Cerejeira, a bela dançarina de Edo, a gueixa sem par.

Mas Sakura-ko baixava os olhos, a refletir, e dizia:

— Ruazinha estreita das gueixas, pavimentada com amargura e corações partidos, suas casas são cheias de esperanças vazias e arrependimentos vãos; a juventude, o amor e o luto aqui residem. As flores em seus jardins são regadas com lágrimas.

Os cavalheiros de Edo precisavam ter seu prazer, então Sakura-ko servia banquetes todas as noites. Embranqueciam as bochechas e a testa dela e pintavam sua boca com *beni*.[12] Ela usava vestes de seda douradas, roxas, cinza, verdes e pretas, um *obi*[13] de brocado amarrado de forma majestosa. Seu cabelo era preso com coralina e jade, fixado com laca dourada e presilhas no estilo de carapaça de tartaruga. Ela servia saquês, celebrava com a boa companhia; e, mais ainda, dançava.

Três poetas entoaram sobre sua dança. Um deles proclamou:

— Ela é mais leve que a libélula da cor do arco-íris.

E outro anunciou:

— Ela se move como a bruma da manhã quando brilha o sol radiante.

E o terceiro declarou:

— Ela é como a sombra no rio do ramo de salgueiro ondulante.

Mas é hora de contar sobre os três pretendentes dela.

O primeiro não era velho nem jovem. Era um rico efêmero, e um grande homem em Edo. Ele mandou um criado à rua das gueixas com dinheiro no cinto. Sakura-ko fechou a porta na cara dele.

---

12 O *beni* é extraído das pétalas da flor do cártamo, ou *benibana*, um batom natural tradicional usado pelas mulheres japonesas desde a Antiguidade. [N. P.]

13 *Obi* é o tradicional cinto japonês usado em volta do quimono ou yukata. São usados diferentemente dependendo da ocasião e são mais sofisticados quando usados por mulheres. [N. R.]

✳ 146 ✳

— Você está errado, companheiro — explicou ela. — Deve ter se perdido. Deveria ter ido à rua das lojas de brinquedos e comprado uma boneca para seu senhor. Diga a ele que aqui não há boneca alguma.

Depois disso, o próprio senhor foi até lá.

— Venha até mim, Ó Flor de Cerejeira — pediu ele —, pois necessito tê-la.

— *Precisa?* — repetiu ela, baixando os olhos compridos.

— Pois, sim. A palavra é "necessito", Ó Flor de Cerejeira.

— E o que me oferece? — perguntou ela.

— Vestes sofisticadas, seda, brocado,[14] uma casa, tatames brancos e sacadas frescas, criados para servi-la, presilhas de ouro... O que desejar.

— E o que lhe ofereço?

— Apenas a si mesma, Ó Flor de Cerejeira.

— De corpo e alma?

— De corpo e alma — confirmou ele.

— Ora, passar bem — retrucou ela. — Tenho o desejo de permanecer sendo uma gueixa. É uma vida alegre.

Após a frase, ela riu.

E esse foi o fim do primeiro pretendente.

O segundo pretendente era velho. Ser velho e sábio, tudo bem, mas ele era velho e tolo.

— Sakura-ko — clamou ele. — Ó, mulher cruel, estou enlouquecendo de amor por ti!

— Meu senhor — respondeu ela —, nisso acredito com facilidade.

— Não sou tão velho.

---

14 Brocado é um tecido ornamental que muitas vezes é caracterizado por padrões elaborados, frequentemente em relevo, que são produzidos por um processo de tecelagem especial, envolvendo ouro ou prata. O brocado é frequentemente usado em roupas formais, tapeçarias e móveis, sendo apreciado pela sua aparência luxuosa e textura distintiva. [N. R.]

A BELA DANÇARINA DE EDO

— Com a compaixão divina dos Deuses, talvez o senhor ainda possa ter algum tempo para se preparar para o fim. Vá para casa e leia a palavra.

Mas o velho pretendente não quis saber daquele conselho. Em vez disso, ordenou que ela comparecesse em sua casa naquela noite, pois iria preparar um grande banquete para ela. E, quando o banquete chegou ao fim, ela dançou em frente a ele, vestindo um *hakama*[15] escarlate e um robe com brocado dourado. Depois da dança, ele a fez se sentar a seu lado e pediu que servissem bebidas; assim, sorveriam juntos. E a gueixa que serviu o saquê se chamava Onda Prateada.

Depois de beberem, o velho pretendente puxou Sakura-ko para perto de si e clamou:

— Venha, meu amor, minha noiva! Agora és minha pela duração de muitas existências; pois havia veneno no copo. Não temas, morreremos juntos. Venha comigo para o Meido.

Mas Sakura-ko respondeu:

— Minha irmã, a Onda Prateada, e eu não somos crianças, nem somos velhas e tolas para sermos enganadas. Não bebi saquê, nem veneno algum. Minha irmã, a Onda Prateada, serviu chá em meu copo. Apesar disso, eu me compadeço pelo senhor e ficarei ao seu lado até o fim.

Ele morreu nos braços dela, e de bom grado seguiu o caminho sozinho para o Meido.

— Ah, que pena! Que pena! — lamentou a Flor de Cerejeira.

Mas a irmã, Onda Prateada, ofereceu um conselho:

— Poupe as lágrimas, ainda terá motivo para chorar. Não desperdice seu sofrimento por um tipo como ele.

---

15 *Hakama* é um tipo de vestimenta tradicional japonesa. Cobre a parte inferior do corpo e se assemelha a uma calça larga. Atualmente são usados apenas em situações extremamente formais, como a cerimônia do chá, casamentos e funerais; também por atendentes de templos xintoístas e por praticantes de certas artes marciais japonesas. [N.R.]

E esse foi o fim do segundo pretendente.

O terceiro pretendente era jovem, corajoso e alegre. Impetuoso ele era, e lindo. Viu a Flor de Cerejeira pela primeira vez em um festival na casa do pai dele. Depois, foi atrás dela na rua das gueixas. Ele a encontrou encostada no balaústre da sacada da casa da senhora.

Ela baixou os olhos para a rua das gueixas e cantou:

Mamãe me mandou tecer fino fio
Com a areia amarela do mar...
Tarefa árdua, tarefa árdua.
Que os bons deuses me apressem!
Papai me deu um cesto de bambus;
Disse ele: "Busque água na nascente
E carregue-a por um quilômetro"
Tarefa árdua, tarefa árdua.
Que os bons deuses me apressem!
Meu coração se lembraria,
Meu coração deve esquecer;
Esqueça, coração, esqueça...
Tarefa árdua, tarefa árdua.
Que os bons deuses me apressem!

Quando ela terminou de cantar, o pretendente viu que os olhos da gueixa estavam repletos de lágrimas.

— Lembra-se de mim — começou ele —, Ó Flor de Cerejeira? Eu a vi ontem à noite na casa de meu pai.

— Sim, meu jovem senhor — retrucou ela. — Eu me lembro bem de você.

— Não sou tão jovem. E te amo, Ó Flor de Cerejeira. Seja gentil, ouça-me, liberte-se, seja minha estimada esposa.

Com isso, ela corou toda, pescoço e queixo, bochechas e testa.

— Minha querida — continuou o jovem —, agora você é de fato a Flor de Cerejeira.

— Criança — respondeu ela —, vá para casa e tire-me do pensamento. Sou velha demais para um tipo como você.

— Velha! — exclamou o rapaz. — Ora, não há nem um ano de diferença entre nós!

— Não, um ano não... Não um ano, mas uma eternidade — declarou a Flor de Cerejeira, e repetiu: — Tire-me do pensamento.

Mas o pretendente não pensava em mais nada. Seu sangue jovem estava em chamas. Não conseguia comer, beber nem dormir. Ele definhou e empalideceu, vagando dia e noite, o coração pesado com o anseio. Vivia em tormento e enfraquecia mais e mais.

Certa noite, desmaiou na entrada da rua das gueixas. Sakura-ko voltava para casa ao amanhecer depois de um festival em um casarão e lá o encontrou. Não disse nada, mas conduziu-o para a casa dele fora de Edo, e permaneceu ao seu lado por três luas cheias. Após esse período, ele recuperou a rubra saúde. Depressa, bem depressa, os dias alegres correram velozes para os dois.

— Essa é a época mais feliz de toda a minha vida. Agradeço aos bons deuses — murmurou a Flor de Cerejeira, certa noite.

— Minha querida — comandou o jovem —, traga seu samisém mais para perto. Quero ouvi-la cantar.

E assim ela fez, antes dizendo:

— Vou cantar uma canção que já ouviu.

Mamãe me mandou tecer fino fio
Com a areia amarela do mar...
Tarefa árdua, tarefa árdua.
Que os bons deuses me apressem!
Papai me deu um cesto de bambus;
Disse ele: "Busque água na nascente
E carregue-a por um quilômetro"

Tarefa árdua, tarefa árdua.
Que os bons deuses me apressem!
Meu coração se lembraria,
Meu coração deve esquecer;
Esqueça, coração, esqueça...
Tarefa árdua, tarefa árdua.
Que os bons deuses me apressem!

— Adorável — elogiou ele. — Qual o significado dessa canção, e por que a canta?

— Meu senhor, significa que preciso deixá-lo, e, dessa forma, canto. Devo esquecê-lo, e deve me esquecer. Este é meu desejo.

— Jamais a esquecerei, nem que se passem mil existências.

Ela sorriu.

— Ore para os deuses para que se case com uma moça gentil e tenha filhos.

Ele lamentou:

— Não há esposa senão você, nem filhos senão os seus, ó Flor de Cerejeira.

— É proibido pelos deuses, meu querido, meu querido. O mundo inteiro jaz entre nós.

No dia seguinte, ela foi embora. Para cima e para baixo, o pretendente vagou, chorando, lamentando e procurando-a tanto perto quanto longe. Foi tudo em vão, pois não conseguiu encontrá-la. A cidade de Edo nunca mais soube dela... Sakura-ko, a bela dançarina.

E seu pretendente se lamentou por muitos, muitos dias. Contudo, por fim ele se abrandou, encontraram uma moça linda e muito gentil com a qual se casou de boa vontade, e logo ela lhe deu um filho. E ele ficou contente, porque o tempo secou todas as lágrimas.

Então, quando o menino tinha cinco anos, ele se sentou no portão da casa do pai. E aconteceu de uma freira errante aparecer pedindo esmola. Os criados da casa levaram arroz e teriam colocado o alimento na tigela mendicante dela, mas a criança disse:

— Deixem que eu dou.

E assim ele fez.

Enquanto o menino enchia a tigela mendicante e afofava o arroz com uma colher de madeira, rindo, a freira o pegou pela manga, segurou-o e fitou-o nos olhos.

— Sagrada freira, por que me olha assim? — reclamou a criança.

A freira respondeu:

— Porque outrora tive um rapazinho como você, e fui embora e deixei-o para trás.

— Pobre rapazinho! — disse a criança.

— Foi melhor para ele, meu querido, meu querido... Bem, bem melhor.

E, depois de dizer isso, ela seguiu o próprio rumo.

DAMAS FEROZES

HOMENS DE MÁRMORE

Edith Nesbit

✶ 1887 ✶

Um par de estátuas de mármore ganha vida e percorre um certo caminho para cometer atrocidades. O que pode acontecer quando o aviso vindo de uma mulher é desacreditado?

E mbora cada palavra desta história seja tão verdadeira quanto desesperadora, não espero que as pessoas acreditem nela. Hoje em dia requer-se uma "explicação racional" antes que uma crença seja estabelecida. Permita-me então que eu, de pronto, ofereça a "explicação racional" que é mais bem apreciada por aqueles que já ouviram o causo[16] da tragédia de minha vida. É tido que estávamos "vivendo uma ilusão", Laura e eu, naquele 31 de outubro, e essa suposição confere à questão uma base satisfatória e crível. A pessoa que lê pode julgar, quando também tiver ouvido minha história, o quanto de tudo é uma "explicação" e em que sentido é "racional". Três pessoas tomaram parte na história: eu, Laura e outro homem. Ele ainda está vivo e pode assegurar a verdade da parte menos crível de minha história.

Nunca na vida eu soube o que era ter dinheiro suficiente para cobrir as necessidades mais comuns: boa aparência, livros e o dinheiro do táxi, e quando nos casamos estávamos bastante cientes de que apenas conseguiríamos viver com "estrita cautela e atenção aos negócios". Naquela época, eu pintava e Laura escrevia, e sentíamos que poderíamos ao menos dar conta do básico.

---

16 Causo é um gênero discursivo, que apresenta fatos reais ou fictícios em suas histórias, contadas de forma engraçada, com objetivo lúdico. [N. R.]

HOMENS DE MÁRMORE

Morar na cidade estava fora de questão, então buscamos por um chalé no campo, que deveria ser ao mesmo tempo asseado e pitoresco. Tão raras essas duas qualidades em um único chalé que nossa procura foi inútil por um tempo. Tentamos anúncios, mas a maior parte das residências rurais desejáveis com as quais nos deparamos acabaram carecendo de ambos os elementos essenciais, e quando acontecia de um chalé ter drenagem, tinha também reboco e o formato de uma caixinha de chá. E, se encontrávamos um alpendre coberto de videiras ou rosas, a podridão sempre espreitava do lado de dentro.

Nossas mentes ficaram tão embaçadas pela eloquência dos agentes imobiliários e pelas diversas desvantagens sob a forma de reservatórios de doença e atentados à beleza que tínhamos visto e desprezado, que duvido muito que qualquer um de nós, na manhã de nosso casamento, soubesse a diferença entre uma casa e um celeiro. Porém, quando nos afastamos de amigos e agentes imobiliários, em nossa lua de mel recobramos o juízo de novo e reconhecemos um bonito chalé quando, enfim, nos deparamos com um. Ficava no pequeno vilarejo de Brenzett, situado em uma colina em contraste com os pântanos ao sul.

Tínhamos ido lá, partindo do vilarejo costeiro onde nos hospedávamos, para ver a igreja, e a dois campos de distância dela encontramos o chalé. Ele ficava isolado, a mais ou menos três quilômetros do vilarejo. Era uma construção comprida e baixa, com cômodos se projetando dos locais mais inesperados. Havia uma parte de alvenaria musgosa e coberta de hera, apenas dois cômodos velhos, tudo o que restara de uma casa grande que outrora ficava ali... e, ao redor da construção, haviam subido o chalé. Destituído das rosas e dos jasmins, teria sido horroroso. Daquele jeito, era charmoso, e depois de uma breve análise, o adquirimos. Foi muito barato.

Pelo restante de nossa lua de mel, fomos vasculhar lojas de segunda mão na cidadezinha do condado, obtendo pedaços de

❋ 156 ❋

carvalho velho e cadeiras Chippendale para nossa mobília. Finalizamos dando uma passada na cidade e na loja de departamentos, e logo os cômodos baixos com vigas de carvalho e treliça nas janelas passaram a ser um lar. Havia um alegre jardim antiquado com caminhos de grama e infindáveis malvas-rosas, girassóis e lírios enormes. Da janela, dava para ver os pastos pantanosos, e mais além a fina linha azul do mar. Estávamos muito felizes, o verão foi glorioso, e nos dedicamos ao trabalho antes do que tínhamos esperado. Eu nunca me cansava de desenhar a paisagem e os efeitos maravilhosos das nuvens através da treliça aberta, e Laura ficava sentada à mesa e escrevia versos sobre isso, nos quais eu, em geral, desempenhava o papel de destaque.

Conseguimos que uma camponesa alta e idosa trabalhasse para nós. Ela tinha uma boa aparência de rosto e de corpo, embora sua comida não fosse das melhores, mas entendia tudo sobre jardinagem e nos contou todos os nomes antigos dos bosques e dos milharais, as histórias de contrabandistas e bandoleiros, e, melhor ainda, das "coisas que caminhavam" e dos "suspiros" que se ouvia nos vales solitários nas noites estreladas. Era um grande conforto para nós, porque Laura detestava o trabalho doméstico tanto quanto eu amava o folclore, e logo passamos a deixar todos os afazeres de casa para a sra. Dorman e usávamos as lendas dela em histórias curtas para revistas, o que nos garantia o tilintar do guinéu.

Tivemos três meses de felicidade matrimonial sem uma única briga. Em uma noite de outubro, eu havia saído para fumar um cachimbo com o doutor, nosso único vizinho, um jovem irlandês agradável. Laura tinha ficado em casa para terminar um desenho em quadrinhos do episódio do vilarejo para o periódico *Monthly Marplot*. Deixei-a rindo das próprias piadas e, quando voltei, encontrei-a sentada à janela num bolo de vestes amassadas, aos prantos.

— Pelos céus, minha querida, o que houve? — questionei, tomando-a nos braços.

HOMENS DE MÁRMORE

Ela apoiou a cabecinha escura em meu ombro e continuou chorando. Eu nunca tinha visto Laura chorar antes – sempre tínhamos sido muito felizes, veja bem – e tive certeza de que uma calamidade assustadora havia acontecido.

— O que houve? Fale.

— É a sra. Dorman — respondeu em meio a soluços.

— O que ela fez? — perguntei, sentindo grande alívio.

— Ela disse que precisa ir embora antes do fim do mês, que a sobrinha está doente. Ela foi lá vê-la agora, mas não acho que seja por isso, porque a sobrinha dela está sempre doente. Acredito que haja alguém a colocando contra nós. Ela estava agindo de forma tão estranha...

— Não se preocupe, docinho. O que quer que faça, não chore, senão vou ter de chorar também, para lhe apoiar, e aí nunca mais respeitará seu homem de novo!

Ela secou os olhos de modo obediente com meu lenço e até deu um sorriso fraco.

— Mas, veja só — prosseguiu ela —, é bem sério, porque as pessoas do vilarejo agem como um rebanho, e se alguém resolver não fazer o serviço para tal pessoa, então pode ter certeza de que ninguém mais vai. Assim terei de preparar o jantar e lavar os horrorosos pratos gordurosos, e você vai precisar carregar baldes de água para lá e para cá, e limpar as botas e as lâminas... e nunca mais teremos tempo algum para trabalhar, não ganharemos nenhum dinheiro nem nada. Vamos ter de trabalhar o dia inteiro, e só conseguiremos descansar enquanto estivermos esperando a chaleira ferver!

Respondi que mesmo que tivéssemos de executar tais tarefas, ainda haveria certa margem para outros trabalhos e lazeres ao longo do dia. Mas ela se recusou a considerar o tema em qualquer perspectiva positiva. Era muito insensata, a minha Laura, mas eu não poderia tê-la amado mais mesmo se fosse tão sensata quanto possível.

EDITH NESBIT

— Vou falar com a sra. Dorman quando ela voltar, e vamos ver se conseguimos fazê-la mudar de ideia — declarei. — Talvez ela queira um aumento. Vai ficar tudo bem. Vamos dar uma caminhada até a igreja.

A igreja era grande e bela, e adorávamos ir lá, em especial nas noites luminosas. O caminho contornava a mata, atravessava-a em uma parte, corria pela crista da colina através de dois prados e rodeava o muro do cemitério da igreja, sobre o qual teixos antigos se assomavam em amontoados pretos de sombra. Esse caminho, que era em parte pavimentado, era chamado de "trilha da esquife", porque por muito tempo fora o caminho pelo qual eram carregados os cadáveres para o sepultamento.

O cemitério era bem arborizado e sombreado por grandes ulmeiros que ficavam do lado de fora e esticavam os braços majestosos numa bênção aos mortos afortunados. Um alpendre grande e baixo conduzia a construção adentro através de um enorme umbral em formato de arco arredondado e uma porta de carvalho pesada e cravejada de ferro. Lá dentro, os arcos avançavam em direção à escuridão, e entre eles havia janelas reticuladas, que se destacavam em branco no luar. Na capela-mor, as janelas eram feitas de suntuosos vitrais, que sob a luz tênue mostravam as cores nobres e faziam o carvalho preto dos bancos de madeira parecer tão fluido quanto as sombras. Não obstante, havia uma imagem de mármore cinzenta de um cavaleiro com uma armadura completa em cima de uma base baixa de cada lado do altar, com as mãos erguidas em uma prece perpétua, e, de maneira estranha, sempre se podia ver essas imagens contanto que houvesse qualquer vislumbre de luz na igreja.

Os nomes dos dois cavaleiros se perderam, mas os camponeses falavam que eles tinham sido homens ferozes e cruéis, saqueadores no mar e na terra, a escória de sua época, culpados de atos tão atrozes que a casa onde moraram – aliás, a grande casa ao lado do nosso chalé – tinha sido acertada por um raio e pela vingança do Céu. Porém, apesar de tudo, o ouro de seus herdeiros garantira a

❋ 159 ❋

eles um lugar na igreja. Olhando para os rostos severos e malvados reproduzidos no mármore, era fácil de acreditar na história.

Naquela noite, a igreja estava mais bela e esquisita possível, pois as sombras dos teixos se projetavam no chão da nave através das janelas, tocando as pilastras com uma mísera penumbra. Nós nos sentamos em silêncio e observamos a beleza solene da antiga igreja, com um quê do deslumbramento que inspirara seus primeiros construtores. Fomos à capela-mor e analisamos os guerreiros adormecidos. Então ficamos descansando por um tempo no assento de pedra no alpendre, olhando para a extensão dos prados silenciosos iluminados pelo luar, sentindo por completo a paz da noite e de nosso amor feliz, chegando à conclusão de que até o esfregar e o engraxar eram, no máximo, pequenos problemas.

A sra. Dorman havia voltado do vilarejo, e de pronto a chamei para um *tête-à-tête*.

— Ora, sra. Dorman — falei, após conduzi-la à minha sala de pintura —, que história é essa de a senhora não ficar mais conosco?

— Com sorte, senhor, consigo partir antes do fim do mês — respondeu ela com a costumeira dignidade plácida.

— Foi por causa de algum desagrado, sra. Dorman?

— De maneira alguma, senhor. O senhor e a sua esposa sempre foram muito gentis, tenho certeza...

— Bem, então o que é? É o pagamento que está pouco?

— Não, senhor, recebo o suficiente.

— Então, por que não fica?

— É melhor não — respondeu ela com alguma hesitação. — Minha sobrinha está doente.

— Mas sua sobrinha está doente desde que chegamos aqui.

Não houve resposta, mas um silêncio longo e desconfortável. Eu o rompi:

— Não pode ficar por mais um mês?

— Não, senhor. Está marcado para eu ir na quinta-feira.

E já era segunda!

— Bem, preciso dizer que acho que deveria ter nos avisado antes. Agora já não há tempo para conseguir outra pessoa, e sua patroa não está apta a fazer trabalhos domésticos pesados. Não consegue ficar até semana que vem?

— Talvez eu consiga voltar na semana que vem.

Naquele momento, fiquei convencido de que o que ela queria eram umas férias curtas, o que teríamos concedido a ela de bom grado assim que conseguíssemos uma substituta.

— Mas por que precisa ir esta semana? — insisti. — Vamos lá, desembuche.

A sra. Dorman apertou mais o pequeno xale que ela sempre usava em volta do peito, como se estivesse com frio. Então respondeu com algum esforço:

— Dizem, senhor, que este foi um casarão nos tempos católicos, e que houve muitos atos executados aqui.

Podia-se deduzir a natureza dos "atos" com a entonação da voz da sra. Dorman... o que era o suficiente para causar calafrios em alguém. Fiquei feliz por Laura não estar no recinto. Ela estava sempre nervosa, como pessoas de natureza bastante tensa ficam, e senti que essas histórias sobre nossa casa, contadas por essa camponesa idosa, com seu jeito impressionante e credulidade contagiosa, poderiam ter feito minha esposa gostar menos de nosso lar.

— Conte-me melhor sobre isso, sra. Dorman — pedi. — Não precisa medir palavras. Não sou como os jovens que debocham dessas coisas.

O que era, em parte, verdadeiro.

— Bem, senhor... — Ela baixou a voz. — O senhor deve ter visto na igreja, ao lado do altar, duas imagens.

★ 161 ★

HOMENS DE MÁRMORE

— A senhora se refere às efígies dos cavalheiros de armadura — constatei com a voz alegre.

— Eu me refiro aos dois corpos, esculpidos em mármore, do tamanho de pessoas — retrucou ela, e tive de admitir que a descrição dela era mil vezes mais gráfica que a minha, isso sem mencionar a força esquisita e a estranheza da frase "esculpidos em mármore, do tamanho de pessoas".

— Dizem que, na véspera do Dia de Todos os Santos, os dois corpos se sentam sobre as bases, afastam-se delas e começam a andar pelo corredor, trajando o mármore — outra bela frase da sra. Dorman — e, quando o relógio da igreja marca onze horas, eles saem pela porta, passam pelos túmulos, bem como pela trilha da esquife, e se for uma noite chuvosa, pela manhã as pegadas deles ficam aparentes.

— E para onde eles vão? — perguntei, bastante fascinado.

— Eles vêm para a casa deles, senhor, e se alguém os encontra...

— Bem, o que acontece? — insisti.

Mas, nada... não consegui arrancar nenhuma outra palavra dela, a não ser sobre sua sobrinha estar doente e ela precisar partir. Depois do que havia ouvido, detestei debater sobre a sobrinha e tentei extrair da sra. Dorman mais detalhes sobre a lenda. Não consegui nada além de alertas.

— O que quer que faça, senhor, tranque a porta bem cedo no Dia de Todos os Santos e faça o sinal da cruz na soleira e nas janelas.

— Mas alguém já viu essas coisas? — persisti.

— Não cabe a mim responder isso. Eu sei o que sei, senhor.

— Bem, quem estava aqui ano passado?

— Ninguém, senhor. A dona anterior da casa só ficava aqui no verão, e ela sempre ia para Londres um mês antes da dita noite. E sinto muito por causar qualquer incômodo ao senhor e à sua esposa, mas minha sobrinha está doente e preciso partir na quinta-feira.

Eu poderia tê-la sacudido por insistir em reiterar algo que era uma óbvia ficção, depois de me contar seus verdadeiros motivos.

✸ 162 ✸

Ela estava determinada a ir, e nossas súplicas unificadas não a influenciaram em nada.

Não contei à Laura sobre a lenda das imagens que "caminhavam trajando o mármore", em parte porque uma lenda a respeito de nossa casa talvez perturbasse minha esposa, e, ao mesmo tempo, acredito eu, por algum motivo mais oculto. Para mim, aquela não era bem como qualquer outra história, e eu não queria falar sobre aquilo até que o dia acabasse. Logo parei de pensar na lenda; contudo, enquanto estava pintando um retrato de Laura contra a janela de treliça, não conseguia pensar muito em outra coisa. Havia criado um fundo amarelo e cinza em um pôr do sol esplêndido, e me encontrava no processo entusiasmado de retratar o rosto dela.

Na quinta-feira, a sra. Dorman se foi.

Ela se compadeceu um pouco, ao partir, a ponto de dizer:

— Não se esforce tanto nos afazeres, senhora, e não vou me incomodar de fazer algo na semana que vem, caso haja.

Assim, deduzi que ela desejava voltar a trabalhar para nós depois do Dia das Bruxas. Até o fim, ela se ateve à ficção da sobrinha com uma fidelidade comovente.

A quinta-feira passou muito bem. Laura demonstrou uma habilidade notória sob a forma de bife com batatas, e devo confessar que minhas facas e pratos, os quais insisti em lavar, ficaram com uma qualidade melhor do que eu ousara esperar.

A sexta-feira chegou, e o que aconteceu naquela sexta é o tema desta história. Me questiono se teria acreditado caso alguém me contasse. Vou escrever a história o mais rápida e simples possível. Tudo o que aconteceu naquele dia está cravado em meu cérebro. Não esquecerei nada, nem deixarei nada de fora.

Lembro que eu me levantei cedo e acendi o fogo na cozinha. Tinha acabado de dominar a arte da fumaça quando minha pequena desceu correndo, tão radiante e doce quanto a própria manhã de outubro. Preparamos o café da manhã juntos e consideramos bem divertido. O trabalho doméstico logo foi feito, e quando escovas,

HOMENS DE MÁRMORE

vassouras e baldes se aquietaram outra vez, a casa estava de fato imóvel. É maravilhosa a diferença que uma pessoa faz na casa. De fato, sentíamos falta da sra. Dorman, exceto as considerações sobre tachos e panelas.

Passamos o dia tirando pó dos livros e os ajustando no lugar, e para o jantar desfrutamos de bife frio e café com alegria. Na medida do possível, Laura estava ainda mais radiante, alegre e doce do que o normal, e comecei a pensar que um pouco de trabalho doméstico fosse muito bom para ela. Nunca tínhamos estado tão felizes desde que havíamos nos casado, e a caminhada que fizemos naquela tarde foi, penso eu, o momento mais feliz de toda a minha vida. Depois de observar as nuvens de um escarlate profundo empalidecerem aos poucos até virarem um cinza chumbo contra o céu verde-claro, e de ver as névoas brancas se enroscarem nas sebes no pântano distante, voltamos para casa em silêncio e de mãos dadas.

— Você está triste, minha querida — comentei, meio de brincadeira, enquanto nos sentávamos na saleta.

Esperei uma negação, uma vez que meu próprio silêncio fora de total alegria. Para minha surpresa, ela respondeu:

— Estou. Acho que estou triste, ou talvez incomodada. Não acho que eu esteja muito bem. Tremi umas três ou quatro vezes desde que entramos, e não está frio, está?

— Não — respondi, torcendo para que não fosse um resfriado causado pelas névoas traiçoeiras que se erguiam dos pântanos ao cair da tarde.

Não, ela disse que achava que não. Então, depois de um momento de silêncio, minha esposa perguntou de repente:

— Você já teve pressentimentos do mal?

— Não — retruquei, sorrindo. — E se tivesse, não teria acreditado.

— Eu já tive — prosseguiu ela. — Na noite em que meu pai morreu, eu soube, embora ele estivesse lá no norte da Escócia.

Não respondi com palavras.

✳ 164 ✳

Ela ficou ali por um tempo, observando o fogo em silêncio e acariciando minha mão com delicadeza. Por fim, levantou-se, foi para atrás de mim e, puxando minha cabeça para trás, me beijou.

— Pronto, acabou — murmurou ela. — Sou tão infantil! Venha, acenda as velas, e vamos fazer alguns desses duetos de Rubinstein.

E passamos uma ou duas horas felizes ao piano.

Mais ou menos às dez e meia da noite, comecei a desejar um cachimbo de boa-noite, mas Laura estava tão pálida que seria um ato terrível encher a sala com as toxinas de um forte Cavendish.

— Vou lá fora fumar cachimbo — anunciei.

— Deixe-me ir com você.

— Não, querida, hoje não, você está muito cansada. Não vou demorar. Vá para a cama, ou então, além das botas para limpar amanhã, terei de cuidar de você também.

Dei um beijo nela e estava me virando para sair quando ela envolveu meu pescoço com os braços e me apertou como se nunca mais fosse me soltar. Acariciei seu cabelo.

— Vamos, docinho, você está bem cansada. Os afazeres domésticos têm sido demais para você.

Ela afrouxou um pouco o aperto e inalou fundo.

— Não. Fomos muito felizes hoje, Jack, não fomos? Não fique muito tempo lá fora.

— Não vou ficar, meu amor.

Saí pela porta da frente, deixando-a destrancada. Que noite! Amontoados irregulares de nuvens escuras e pesadas ondulavam de horizonte a horizonte, e grinaldas brancas cobriam as estrelas. Atravessando a urgência do rio de nuvens, a lua mergulhava, enfrentando as ondas e voltando a desaparecer na escuridão. Nas partes que, de vez em quando, a luz alcançava os bosques, eles pareciam ondular devagar e em silêncio, em harmonia com o balanço das nuvens acima. Havia uma estranha luz cinzenta cobrindo a terra; os campos tinham sobre si aquela florescência sombreada que surge do casamento entre o orvalho e o luar, entre o gelo e a luz das estrelas.

HOMENS DE MÁRMORE

Subi e desci, absorvendo a beleza da terra calma e do céu mutável. A noite era de um silêncio absoluto. Nada parecia circular, não havia coelhos correndo, nem o chilrear dos pássaros quase adormecidos. E embora as nuvens navegassem pelo céu, o vento que as conduzia nunca ficava baixo o bastante para agitar as folhas mortas nos caminhos do bosque. Além dos prados, eu via a torre da igreja se destacando, preta e cinza contra o céu. Fui até lá, pensando em nossos três meses de felicidade... e em minha esposa, nos lindos olhos dela, em seu jeito adorável. Ah, minha pequena! Minha! Que grande vislumbre me ocorreu da nossa vida longa e feliz, juntos!

Ouvi o sino da igreja soar. Já eram onze horas! Eu me virei para entrar, mas a noite me conteve. Ainda não podia voltar para nossos pequenos cômodos aconchegantes. Eu iria até a igreja. Tive a leve sensação de que seria bom levar meu amor e gratidão ao santuário no qual tantos fardos de sofrimento e júbilo foram carregados por homens e mulheres de anos passados.

Olhei pela janela baixa enquanto passava. Laura estava meio deitada na cadeira em frente ao fogo. Eu não conseguia ver seu rosto, apenas sua cabecinha aparecendo escura contra a parede azul-clara. Ela estava bem imóvel. Sem dúvida, adormecida. Senti o coração alcançá-la ao olhar para ela enquanto prosseguia. Deveria haver um Deus, pensei, e um Deus que fosse bom. Como, de outra forma, algo tão doce e caro como ela poderia ter sido conjurado?

Fui andando devagar pela margem da mata. Um som rompeu a imobilidade da noite, um farfalhar na mata. Parei para escutar. O som também parou. Prossegui e dessa vez ouvi de maneira distinta outro passo além do meu responder como um eco. Era provável que se tratasse de um caçador clandestino ou um ladrão de madeira; era incomum que aparecessem ali em nossa vizinhança bucólica. Mas, fosse quem fosse, era um tolo por não andar fazendo menos barulho.

Eu me virei para a mata, e naquele momento parecia que os passos vinham do caminho do qual eu tinha acabado de sair. *Deve*

＊ 166 ＊

ser um eco, pensei. A mata parecia perfeita sob o luar. A luz clara atravessava a folhagem fina do matagal e das grandes samambaias secas. Os troncos de árvores se erguiam ao meu redor como colunas góticas. Eles me lembravam da igreja, e me virei para a trilha do esquife, cruzando o portão de cadáveres e passando por entre os túmulos até chegar ao alpendre baixo.

Fiz uma pausa por um momento no assento de pedra em que Laura e eu tínhamos observado a paisagem desbotando. Então notei que a porta da igreja estava aberta, e me culpei por tê-la deixado destrancada na outra noite. Éramos as únicas pessoas que faziam o esforço de ir à igreja nos outros dias além de domingo, e fiquei aborrecido ao pensar que, por causa de nosso descuido, as brisas úmidas do outono tinham conseguido adentrar o espaço e danificar a estrutura. Entrei.

Vai parecer estranho, talvez, que eu tenha andado metade do caminho pelo corredor antes de lembrar – com um arrepio repentino, seguido por uma onda de aversão própria – que era naquele dia e hora exatos que, segundo a tradição, as "imagens esculpidas em mármore, do tamanho de pessoas" começavam a vagar.

Tendo assim me lembrado da lenda, e lembrado com um tremor, do qual me envergonhei, eu não poderia fazer outra coisa a não ser ir até o altar, apenas para verificar as imagens, como assegurei a mim mesmo. O que eu queria de fato era me assegurar, em primeiro lugar, que não acreditava na lenda, e segundo, que não era verdadeira. Eu estava bem contente de ter ido lá. Pensei que poderia dizer à sra. Dorman como as fantasias dela eram vãs, e como as imagens de mármore dormiam de forma pacífica durante a hora sinistra. Com as mãos nos bolsos, segui pela nave. Sob a luz cinzenta e fraca, a ala leste da igreja parecia maior que o normal, e os arcos sobre as duas tumbas também pareciam maiores. A lua surgiu e me mostrou o motivo. Estaquei no lugar, e meu coração deu um salto que quase me sufocou, então parou de maneira nauseante.

HOMENS DE MÁRMORE

Os "corpos esculpidos em mármore, do tamanho de pessoas" tinham sumido, e as bases de mármore jaziam amplas e desnudas sob o tênue luar que se inclinava através da janela leste.

Teriam sumido mesmo ou eu tinha perdido a cabeça? Com os nervos à flor da pele, passei a mão pelas bases lisas e senti a superfície plana e intacta. Será que alguém tinha levado as coisas embora? Seria uma espécie de zombaria perversa? De qualquer modo, eu me certificaria. Em um instante, fiz uma tocha com um jornal que encontrara no próprio bolso, e, depois de acendê-la, eu a ergui sobre a cabeça. O brilho amarelado iluminou os arcos escuros e aquelas bases. As imagens tinham sumido. E eu estava sozinho na igreja... ou não?

Então um terror me assolou. Um terror indefinido e indescritível, uma certeza avassaladora de uma suprema e consumada calamidade. Abaixei a tocha, passei pela nave da igreja e saí pelo alpendre, mordendo os lábios para conter um grito. Ah, eu havia enlouquecido... ou o que era aquilo que tinha me tomado? Pulei o muro do cemitério e peguei o atalho direto pelos campos, conduzido pela luz de nossas janelas. Assim que venci o primeiro lance de degraus, uma imagem escura pareceu brotar do chão.

Ainda enlouquecido frente àquela certeza de infortúnio, fui para cima da coisa que se colocara em meu caminho, gritando:

— Saia logo da frente!

Mas meu empurrão encontrou uma resistência mais vigorosa do que eu esperara. Seguraram meus braços logo acima dos cotovelos e apertaram com força, e o doutor irlandês ossudo me sacudiu para valer.

— Quer passar, é? — retrucou ele com o sotaque característico. — Então quer passar?

— Solte-me, seu tolo — comandei, arfando. — As imagens de mármore sumiram da igreja. Estou dizendo, desapareceram.

Ele soltou uma risada estridente.

168

— Vai me dar trabalho amanhã, pelo visto. Fumou demais e ficou ouvindo histórias da carochinha.

— Estou dizendo, vi as bases vazias.

— Bem, volte comigo. Vou lá na casa do velho Palmer... a filha dele está doente. Vamos dar uma olhada na igreja e verificar as bases vazias.

— Vá sozinho, se quiser — respondi, um pouco menos agitado após a risada dele. — Eu vou para casa, para minha esposa.

— Bobagem, homem — rebateu ele. — Acha que vou permitir isso? Vai ficar a vida toda dizendo que viu o mármore sólido dotado de vitalidade, e vou ficar a vida toda dizendo que é um covarde? Não, senhor... isso não.

O ar noturno, a voz humana, e acredito também que o contato físico com esse bom senso sólido de um metro e oitenta me fizeram voltar ao meu estado normal, e a palavra "covarde" foi como um banho frio mental.

— Vamos lá, então — falei de mau humor. — Talvez esteja certo.

Ele ainda segurava meu braço com força. Passamos pelo lance de degraus e entramos na igreja. Estava tudo imóvel como a morte. O lugar tinha um cheiro bem úmido e terroso. Caminhamos pela nave. Não tenho vergonha de admitir que fechei os olhos, sabia que as imagens não estariam lá. Ouvi Kelly riscar um fósforo.

— Ali estão elas, viu? Intactas. Você estava sonhando ou bebendo, com a licença da acusação.

Abri os olhos. Com a ajuda do fósforo de Kelly, cuja chama já se extinguia, vi as duas imagens "trajando o mármore" em cima das bases. Inalei fundo e segurei a mão dele.

— Estou deveras em dívida com você — declarei. — Deve ter sido um truque de luz, ou venho trabalhando demais, talvez tenha sido isso, sabe? Eu estava bem convicto de que elas tinham sumido.

— Estou ciente — respondeu com um tom sombrio. — Precisa ter cuidado com esse cérebro aí, meu amigo. Vá por mim.

HOMENS DE MÁRMORE

Ele se inclinava, observando a imagem da direita, cuja expressão no rosto pétreo era a mais vilanesca e letal.

— Minha nossa — murmurou ele. — Aconteceu alguma coisa aqui. A mão desta está quebrada.

E estava mesmo. Eu tinha certeza de que estava perfeita da última vez que Laura e eu estivéramos lá.

— Talvez alguém tenha tentado arrancá-la — ponderou o jovem doutor.

— Isso não explica o que acredito ter visto — contrapus.

— Pintura e tabaco demais explicam muito bem o que acredita ter visto.

— Venha — chamei —, ou minha esposa vai ficar ansiosa. Pode entrar e tomar um uísque comigo, assim brindaremos ao fato de eu confundir desorientação com fantasmas e que eu tenha mais juízo.

— Eu deveria ir lá no Palmer, mas está tão tarde que é melhor ir pela manhã — afirmou ele. — Fiquei até tarde no sindicato e tive de encontrar várias pessoas desde então. Está bem, vou voltar com você.

Acho que ele pensou que eu precisava mais dele do que a filha de Palmer. Então, debatendo como tal ilusão poderia ter se sucedido e deduzindo dessa experiência amplas generalizações sobre aparições fantasmagóricas, voltamos para o chalé. Ao subir pelo caminho do jardim, deparamo-nos com a luz forte saindo pela porta da frente, e de pronto vi que a porta da saleta também estava aberta. Teria ela saído?

— Entre — convidei, ao que o dr. Kelly me seguiu, adentrando a sala.

O cômodo se encontrava iluminado por diversas velas, não apenas as de cera, mas ao menos uma dúzia de velas de sebo, ofuscantes e tremeluzentes, em vasos e ornamentos nos locais mais improváveis. A luz, eu sabia, era o remédio de Laura para o nervosismo. Pobre jovem! Por que eu a deixara sozinha? Eu era mesmo um bruto.

✳ 170 ✳

EDITH NESBIT

Olhamos ao redor do cômodo e de início não a vimos. A janela estava aberta, e o vento soprava todas as chamas das velas para uma direção. A cadeira dela estava vazia, e seu lenço e livro jaziam no chão. Eu me voltei para a janela. Lá, em seu nicho, eu a vi. Ah, minha pequena, meu amor, teria ela ido à janela para me esperar? E o que teria entrado no cômodo atrás dela? Para o que ela teria voltado aquele olhar de puro medo e terror? Ah, minha pequena, haveria pensado ela que era o meu passo que ouvia, e se voltara para encontrar... o quê?

Ela tinha caído por cima de uma mesa na direção da janela, e seu corpo estava metade na mesa e metade no assento da janela, com a cabeça caída na mesa, o cabelo castanho solto e pendendo sobre o tapete. Os lábios dela estavam repuxados, e seus olhos, arregalados. Não viam nada. Qual fora a última coisa que viram?

O doutor foi na direção dela, mas o empurrei para o lado e corri até minha esposa, tomando-a nos braços.

— Está tudo bem, Laura! — exclamei. — Você está segura agora, minha querida.

Ela caiu como sucata em meus braços. Eu a segurei e a beijei, e a chamei por todos os apelidos carinhosos, mas acho que sabia aquele tempo todo que ela estava morta. As mãos se encontravam cerradas em punhos. Em uma delas, segurava algo. Quando tive certeza de que estava morta e de que nada mais importava, deixei que o doutor abrisse a mão dela para ver o que segurava.

Era um dedo de mármore cinzento.

DAMAS FEROZES

AS DUAS PROPOSTAS

Frances Watkins Harper

✦ 1859 ✦

Quais são os valores morais e afetuosos que devem pesar na escolha de um parceiro para o matrimônio? Após uma decisão tomada, resta apenas aguardar o tempo para trazer respostas, e talvez elas não sejam muito felizes.

ual o problema com você hoje, Laura? Desde de manhã cedo venho observando você começar meia dúzia de cartas para logo depois rasgar tudo. Que assunto de tamanha importância vem confundindo sua linda cabecinha a ponto de não conseguir se decidir?

— Bem, é de fato um assunto importante: recebi duas propostas de casamento, e não sei qual escolher.

— Eu não aceitaria nenhuma das duas, para dizer o mínimo, nessa conjuntura.

— E por que não?

— Porque acredito que uma mulher que esteja indecisa entre duas propostas não nutre amor suficiente para fazer tal escolha. Em meio à própria hesitação, indecisão, ela tem razão em fazer uma pausa e refletir de verdade, para que, dessa forma, o casamento, em vez de ser uma afinidade de almas ou uma união de corações, não seja uma mera questão de negociação e venda, ou um caso de conveniência e interesse egoísta.

— Mas considero ambas as propostas muito boas, que qualquer jovem receberia de bom grado. Contudo, para dizer a verdade, não acho que encaro qualquer uma delas como uma mulher deveria ao escolher um marido. Porém, se eu recusar, há o risco de me tornar uma solteirona, e isso não pode sequer ser considerado.

— Bem, imagino que o risco exista, mas esse é o pior destino que pode recair sobre uma mulher? Não seria uma desgraça bem

AS DUAS PROPOSTAS

maior encontrar-se em um casamento mal arranjado... uma total solidão em um lar sem amor, em contraposição ao posto de solteirona que aceita sua missão na Terra como um presente de Deus e luta para seguir o caminho da vida com passos sinceros e inabaláveis?

— Ah! Que ótima pregadora é você. De fato acredito que foi feita para ser uma solteirona; que quando a natureza a moldou, colocou uma porção dupla de intelecto para compensar a deficiência de amor; e, ainda assim, você é gentil e atenciosa. Mas não acredito que saiba nada a respeito de uma grande paixão avassaladora, ou da profunda necessidade que o coração de uma mulher tem de amar.

— É o que acha mesmo? — concluiu a que primeiro falara e, inclinando o corpo ao ofício, voltou a dedicar-se ao tricô que ficara negligenciado a seu lado durante a breve conversa. Enquanto fazia isso, porém, uma sombra assolou suas sobrancelhas claras e inteligentes, uma névoa amontoou-se em seus olhos, e um leve tremor tomou a boca, revelando uma profundidade de sentimento que era desconhecida à sua companheira.

Contudo, antes de prosseguir com minha história, permita-me oferecer um breve histórico sobre as falantes. Eram primas, cujas vidas seguiram sob diferentes auspícios.

Laura Lagrange era a filha única de pais ricos e indulgentes, que não mediam esforços para fazer dela uma moça prendada.

A prima, Janette Alston, era filha de pais ricos apenas de bondade e afeto. O pai dela fora infeliz nos negócios e morrera antes de conseguir recuperar as riquezas, deixando o negócio em um estado deplorável.

A viúva desconhecia os negócios do marido, e, quando fora feita a divisão de bens, credores famintos fizeram reivindicações e advogados receberam honorários; e, dessa forma ela se viu sem casa e quase sem dinheiro algum. A viúva, que também fora protegida entre braços afetuosos, descobriu que estes eram impotentes demais para blindá-la contra as tempestades impiedosas e agressoras da adversidade.

FRANCES WATKINS HARPER

Ano após ano, ela batalhou contra a pobreza e relutou com o anseio, até que suas mãos cansadas da labuta ficaram frágeis demais para segurar os cordões despedaçados da existência, e seus olhos lacrimosos pesaram com o torpor da morte.

A filha havia cuidado dela com uma devoção incansável, fechado os olhos da mãe no momento da morte e saído para o mundo atribulado e inquieto, desprovida de um tom precioso das vozes da terra, um estimado degrau no caminho da vida.

Autossuficiente demais para depender da caridade de parentes, aventurara-se a sustentar-se com base nos próprios esforços, e foi bem-sucedida. Por um tempo, seu caminho foi marcado pela luta e pela dificuldade, porém, em vez de afligir-se de maneira inútil, enfrentara ambas com coragem, e sua vida tornou-se não um elemento de comodidade e indulgência, mas de conquista, vitória e proezas.

Na época em que essa conversa se deu, as grandes provações de sua vida tinham passado. Os feitos de sua genialidade lhe conquistaram uma posição no mundo literário, no qual brilhava como uma das mais singulares e resplandecentes estrelas. E com a fama veio uma alçada de bens mundanos que lhe ofereceram certa tranquilidade para se aperfeiçoar e um desenvolvimento mais rico de seus raros talentos.

E, em um período da vida, ela, a mulher intelectual pálida, cuja genialidade dava vida e vivacidade ao círculo social, e cuja presença projetava uma auréola de beleza e graça ao longo da atmosfera encantada pela qual se movia, tinha conhecido a força mística e solene de um amor avassalador. Os anos que desapareceram em um passado nebuloso testemunharam a chama nos olhos dela, o corar rápido do rosto e o martelar feroz do coração, em tons de uma voz havia muito silenciada pela imobilidade da morte.

Com profundidade, ferocidade e fervor, ela amara. Sua vida inteira parecia como o derramar de densos afetos, cálidos e arrebatados. Esse amor acelerou seus talentos, inspirou sua genialidade,

★ 175 ★

AS DUAS PROPOSTAS

cobriu sua vida com um ardor terno e espiritual. E então veio o choque temeroso, um despertar repleto de pesar daquele "sonho de beleza e deleite".

Uma sombra recaiu em seu caminho, colocou-se entre ela e o objeto de veneração de seu coração; de início, algumas palavras frias, distanciamento, e então uma separação dolorosa; a velha história do orgulho da mulher: escavar a sepultura da própria felicidade, então um túmulo recém-preparado, e o caminho dela sobre ele em direção ao mundo espiritual. E assim esmoreceu o sonho de vida reluzente daquele jovem coração, um sonho breve e entristecido.

Fraca e desalentada, deu as costas aos cenários associados com a lembrança do amado e perdido. Tentou romper a corrente de associações tristes que a prendiam ao passado pesaroso, e assim, repelindo os lamentos amargos do coração quase a se partir, como um golfinho moribundo, cuja beleza nasce da angústia da morte, a genialidade dela extraiu força do sofrimento, e um poder e esplendor magníficos da agonia que escondia dentro das câmaras desoladas da alma.

As pessoas a tachavam como uma das filhas da terra estranhamente dotadas, e envolviam as guirlandas da fama em torno de sua cabeça, que latejava com uma inquietação feroz e temerosa. Murmuravam o nome dela em meio a aplausos, quando, pelos corredores solitários de seu espírito ferido, emanava um sincero clamor por paz, um desejo profundo por compaixão e apoio emocional.

Mas a vida, com suas realidades severas, a alcançou; suas responsabilidades solenes a confrontaram, e, ao voltar-se, com um espírito ardente e destroçado, para os deveres e provações da vida, encontrou a calma e a força que tinha apenas imaginado em seus sonhos de poesia e música.

Agora passaremos por um período de dez anos, e as primas encontraram-se de novo. Naquela mulher tranquila e adorável, cujos olhos há uma profundidade de ternura, atenuando os lampejos de

✳ 176 ✳

genialidade, cuja aparência e tom de voz são cheios de compaixão e amor, reconhecemos a outrora apaixonada e ferida Janette Alston.

O florescer de sua mocidade dera lugar a um tipo mais elevado de beleza espiritual, como se certa mão invisível viesse polindo e refinando o templo em que seu espírito adorável construíra morada; esse fora o caso. Sua vida interna tornara-se linda, e foi isso que, dia após dia, desenvolvera seu exterior.

Nunca, no fulgor inicial da feminilidade, quando um amor avassalador iluminara seus olhos e brilhara em sua vida, ela parecera tão interessante como quando, com uma fisionomia que parecia ofuscada por uma luz espiritual, inclinou-se sobre o leito de morte de uma jovem moça, demorando-se nos portões sombreados da terra desconhecida.

— Ele veio? — questionou a mulher moribunda com a voz fraca, mas ávida. — Ah! Como esperei pela vinda dele, e até na morte ele me esquece.

— Ah, não diga isso, querida Laura. Ele deve ter se demorado por causa de algum incidente — respondeu Janette à prima, pois naquela cama, da qual nunca mais se levantaria, jazia a outrora bela e despreocupada Laura Lagrange, cujo brilho dos olhos havia muito fora reduzido a lágrimas, e a voz tornara-se uma espécie de harpa em que todas as cordas estavam afinadas para a tristeza... e o mais tênue embalo e as vibrações mais altas não passavam de variações de dor.

Certa mão pesada tocou o coração que outrora esteve quente e envolvente, e uma voz chegou sussurrando através de sua alma, afirmando que ela tinha de morrer. Contudo, para ela, as boas-novas eram uma mensagem de salvação: uma voz, apressando seu sofrimento desenfreado à calmaria da resignação e da esperança. A vida havia ficado fatigante demais sobre sua cabeça, e o futuro parecia tão desesperançoso que ela não tinha desejo algum de trilhar outra vez o caminho no qual espinhos perfuraram seus pés;

AS DUAS PROPOSTAS

nuvens encobriram seu céu. Então ela saudou a chegada do anjo da morte como os passos de um ansiado amigo.

E, ainda assim, a terra tinha alguém tão caro ao seu cansado coração. Tratava-se do marido, ausente e covarde, uma vez que, desde aquela conversa, ela tinha aceitado uma das propostas e se casado. Porém, antes disso, descobrira a grande lição da experiência humana e da vida de uma mulher: amar o homem que se curvava diante de seu santuário, um adorador voluntário.

Ele tinha uma alocução agradável, cabelos escuros, olhos cintilantes, uma voz de doçura empolgante e lábios de eloquência convincente; e, sendo bem versado nas coisas do mundo, conquistou o coração da moça, e ela tornou-se sua esposa, ao que ele ficou orgulhoso de sua conquista.

Com caráter fútil e superficial, ele via o casamento não como um sacramento divino para o desenvolvimento da alma e evolução humana, mas como uma escritura que lhe concedia posse da mulher que pensava amar.

Entretanto, infelizmente para ela, a lassidão de seus princípios o tornara indigno da devoção profunda e imortal de uma mulher de bom coração; contudo, por um tempo, ele escondeu dela o verdadeiro caráter. Ela o amou sem ressalvas, e por um breve período foi feliz com a consciência de que era amada, embora, às vezes, uma inquietação imprecisa preenchesse sua alma, quando, transbordando com o bom senso, do belo e do verdadeiro, voltava-se a ele, mas não encontrava resposta alguma aos grandes anseios de sua alma, nenhum apreço pelas mais elevadas realidades da vida, em sua grande, solene e significativa importância.

As almas deles nunca convergiram, e logo ela encontrou um vácuo no próprio peito que o amor dele, de origem terrena, era incapaz de preencher. Ele não satisfazia os desejos da natureza mental e moral dela... Entre os dois não havia afinidade de mentes nem intercomunhão de almas.

✳ 178 ✳

Que falem sobre a profunda capacidade da mulher de amar, da força de sua natureza afetuosa. Não nego, mas a mera posse de qualquer amor humano satisfaria por completo todas as demandas de seu inteiro ser? Pode-se pintá-la na poesia ou na ficção como uma videira frágil, agarrando-se ao parceiro homem como apoio e morrendo quando privada dele; tudo isso pode soar bom o suficiente para agradar às imaginações de jovens estudantes ou donzelas apaixonadas.

No entanto, no caso de uma mulher, uma mulher de verdade, para fazê-la feliz é preciso de mais do que o mero desenvolvimento de sua natureza afetiva. A consciência dela deve ser satisfeita, sua fé no verdadeiro e no correto estabelecida, um âmbito concedido para suas habilidades dotadas do céu e conferidas por Deus.

O verdadeiro objetivo da educação feminina não deveria ser o desenvolvimento de uma ou duas, mas de todas as habilidades da alma humana, porque não há feminilidade perfeita a ser desenvolvida por uma cultura imperfeita. O amor intenso é com frequência semelhante ao sofrimento intenso, e confiar a saúde completa da natureza de uma mulher à crosta tênue do amor humano pode ser como confiar um cargueiro de ouro e pedras preciosas a um barco que nunca enfrentou a tempestade, que jamais foi fustigado pelas ondas.

É de se admirar então que tantos barcos da vida afundem, pavimentando o oceano do tempo com corações preciosos e esperanças desperdiçadas? Que tantos flutuem ao nosso redor, destroços despedaçados e desalentados? Que tantos encalhem nos baixios da existência, faróis pesarosos e alertas solenes para os remissos, para os quais o casamento é um unir descuidado e apressado de afetos?

Que pena que uma instituição tão carregada do que é bom para a humanidade seja tão deturpada, e a condição da vida, que deveria ser preenchida com felicidade, torne-se tão repleta de tormento.

E foi esse o destino de Laura Lagrange. Por um breve período após o casamento, a vida dela parecia um sonho vívido e belo, cheio de esperança e irradiando alegria. Então houve uma mudança: o

AS DUAS PROPOSTAS

marido encontrou outros atrativos que jaziam além da palidez das influências domésticas.

O salão de apostas tinha o poder de atraí-lo para longe dela. Ele vivera em um estado de excitações insalubres e profanas, e a socialização com uma mulher carinhosa, os prazeres de um lar bem constituído, eram alegrias mansas demais para alguém que vinha corrompendo os gostos nos prazeres do pecado.

Havia casas de vício encantadas, construídas sobre os amores de homens mortos, nas quais, entre o fluir de música, risada, vinho e júbilo descuidado, ele passava horas e horas, esquecendo-se da tez que empalidecia por meio de sua negligência, desatento aos olhos reduzidos a lágrimas, vasculhando com ansiedade a escuridão, esperando, atenta a seu retorno.

A influência de velhas companhias o impactou. No início da vida, o lar para ele fora apenas um lugar de tetos e paredes, não um verdadeiro lar, construído com base na bondade, no amor e na verdade. Era um lugar em que tapetes de veludo sussurravam pelo piso, em que imagens de encanto e beleza, evocadas à existência pela arte de um pintor ou a habilidade de um escultor, agradavam aos olhos e gratificavam o gosto, em que a magnificência cercava sua forma e vestes caras adornavam sua pessoa, mas não era um lugar de cultura autêntica nem do desenvolvimento apropriado da alma.

O pai estivera absorto demais em fazer dinheiro, e a mãe em gastá-lo, em tentar manter uma posição elegante na sociedade, e em brilhar aos olhos do mundo, a fim de orientar na direção certa o caráter do filho rebelde e impulsivo. A mãe o trajara com vestimentas belas, mas deixara cicatrizes hediondas em sua alma; mimara seu apetite, mas deixara seu espírito faminto.

Toda mãe deveria ser uma verdadeira artista, que sabe como tecer na vida dos filhos imagens de graciosidade e beleza, a verdadeira poeta capaz de escrever na alma da infância a harmonia do amor e da verdade e ensiná-la a compor o maior de todos os poemas: os versos de uma vida verdadeira e digna.

Porém, na casa dele, um amor pelo bom, verdadeiro e correto fora sacrificado no altar da futilidade e do estilo. A autoridade parental, que deveria ter sido preservada como um colar de pérolas preciosas, intacto e unificado, tornou-se apenas e tão somente a gestão do acaso.

Por vezes, a obediência era imposta pela autoridade; em outras, por adulação e promessas, e com frequência não era imposta de maneira alguma. Suas conexões iniciais foram formadas ao acaso, e, por conta de sua falta de educação doméstica, seu caráter ganhou um viés, e a vida, uma sombra, que percorria cada avenida de sua existência e obscurecia todas as suas horas futuras.

Ah, se fôssemos traçar a história de todos os crimes que obscureceram esse nosso mundo coberto pelo pecado e obscurecido pela tormenta, quantos poderiam ser vistos ascendendo das influências domésticas erradas ou do enfraquecimento dos laços do lar?

O lar sempre deveria ser a melhor escola para os afetos, o berço das determinações elevadas e o altar sobre o qual aspirações grandiosas são inflamadas, de onde as almas podem avançar, fortalecidas, a fim de agirem como parte correta no grande drama da vida, com a consciência esclarecida, os afetos cultivados e a razão e o julgamento dominantes.

Mas, infelizmente, para a jovem esposa, seu marido não fora abençoado com tal lar. Quando ele ingressou na arena da vida, as vozes do lar não se demoraram em seu caminho como anjos a guiar os passos dele; não eram como tantas mensagens que o convidavam aos feitos de grande e sagrado valor.

A lembrança de uma mãe nada santa ergueu-se entre ele e as façanhas de escuridão; as preces ávidas de pai nenhum prenderam-no ao seu curso de declínio. Antes que um ano se completasse, a vida de casado havia esmorecido, e a jovem esposa aprendera a esperar e lamentar sua frequente e inoportuna ausência.

Mais de uma vez, ela o vira voltar para casa de uma das rondas da meia-noite, a inteligência aguçada de seus olhos deslocada

AS DUAS PROPOSTAS

pelo olhar embriagado, com seu passo másculo alterado para um cambalear inebriado. Ela passou a conhecer a dor amarga que é comprimida em palavras pesarosas: ser a esposa de um bêbado.

E então ocorreu um vívido, apesar de breve, episódio em sua experiência: o anjo da vida conferiu à sua existência um maior significado e uma relevância mais grandiosa. Ela abrigou no calor dos braços gentis um querido bebê, uma criança preciosa, cujo amor preenchia todas as câmaras de seu coração, sentindo a fonte de amor maternal jorrando de forma tão fresca em sua alma. Aquela criança era sua.

Quão ofuscante foi o amor sobre o qual ela se debruçou em seu desamparo, o quanto a ajudou a preencher o vazio e os abismos em sua alma. Quantas horas solitárias foram seduzidas por modos cativantes, sorrisos em resposta e carinhos afetuosos. Como era primoroso e solene o sentimento que estimulava o coração dela ao juntar as mãos minúsculas uma na outra e ensinar a querida criança a chamar Deus de "nosso Pai".

Que bênção foi aquela criança. O pai fez uma pausa na carreira impetuosa, maravilhado com a estranha beleza e o intelecto precoce da criança; e a vida da mãe ganhou maior expressividade por meio das ministrações do amor. E então vieram as horas de angústia amarga, ofuscando o sol do lar dela e silenciando a música de seu coração.

O anjo da morte se inclinou sobre a criança e a levou. Cada vez mais, a mãe agarrou-se à criança, pressionando-a contra o peito bastante inchado, e lutou contra a mão que pesava no coração dela. O amor e a dor argumentaram com a morte, e as palavras no coração da mãe eram:

Ah, Morte, xô! Esse inocente é meu;
Não posso soltá-lo de meus braços
Para colocá-lo, Morte, nos vossos.
Sou mãe, Morte; dei à luz aquele ser amado
Não posso suportar o corpo inerte dele
Desfazendo-se na terra.

Mas a morte era mais forte que o amor, mais poderosa que a dor, e venceu, levando a criança para a terra de fontes de cristal e flores imortais. A pobre mãe, ferida, sentou-se à sombra do imponente luto, sentindo-se como se a luz tivesse deixado sua alma, e que o sol de repente desaparecera de seu caminho. Ela voltou a profunda angústia ao pai do seu bebê morto, amado e estimado.

Por um tempo, as palavras dele foram gentis e ternas, o coração parecia suave, e a ternura do marido recaiu sobre o coração desgastado e cansado dela como a chuva em flores perecendo, ou água fresca em uma boca ressecada de sede e chamuscada de febre. Contudo, a mudança foi evanescente, a influência de companhias profanas e costumes cruéis havia distorcido e envenenado as nascentes da existência dele.

Elas o tinham capturado em suas redes, e ele carecia de força moral para romper seus grilhões e colocar-se de pé em toda a força e dignidade da verdadeira masculinidade, fazendo da maior excelência na vida seu ideal e batalhando para alcançá-la.

E, ainda assim, momentos de profundo arrependimento o tomariam, quando decidiria abandonar o copo de bebida para sempre, quando estaria pronto para renegar o manuseio de outra carta e tentaria romper com as companhias que sentia estarem trabalhando para sua destruição. Porém, quando vinha a tentação, sua força era sua fraqueza; os mais sinceros propósitos, teias de aranha, e as determinações bem-intencionadas tornavam-se cordas de areia, e assim se passavam ano após ano na vida casada de Laura Lagrange.

Ela tentava esconder a dor do olhar público, sorrindo quando o coração estava prestes a se partir. Porém, ao longo dos anos, sua voz foi ficando mais fraca e triste, e seu passo, outrora ágil e envolvente, ficou mais lento e vacilante. Ano após ano, ela relutou com a dor, lutou contra o desespero, até os olhos ágeis do irmão interpretarem, no empalidecer do rosto e no esmorecer de seus olhos, a angústia secreta de seu espírito desgastado e cansado. Naquele

AS DUAS PROPOSTAS

rosto abatido e triste, ele viu os símbolos da morte e soube que a asa escura do anjo místico balançava com frieza em seu caminho.

— Laura — disse o irmão, certo dia —, você não está bem, e acredito que precisa do cuidado e do doce carinho de nossa mãe. Você perde mais força a cada dia, e, se quiser, eu a acompanharei.

De início, ela hesitara, encolhendo-se quase por instinto para não mostrar o rosto pálido e triste aos entes queridos em casa. Aquele rosto era revelador: falava da doença do coração, da esperança diferida e da história pesarosa do amor não correspondido.

Mas então, um profundo desejo pela compaixão do lar despertou dentro dela um anseio intenso por palavras generosas do amor, pela ternura, pelo apoio emocional. Resolveu buscar o lar de sua infância e deitar a cabeça cansada no peito da mãe, ser abraçada por aqueles braços amorosos e repousar seu coração infeliz, machucado e dolorido onde poderia bater e pulsar perto dos entes queridos, em casa.

Uma recepção afetuosa a aguardava. Todo aquele amor e ternura concebidos para levar a cor ao seu rosto e a luz aos seus olhos, no entanto, foi tudo em vão; a doença dela nenhum remédio poderia curar, nenhum bálsamo terrestre poderia sarar. Era um lento desgaste das forças vitais, a doença da alma. A indelicadeza e negligência do marido pesavam como chumbo em seu coração, drenando lentamente as gotas de vida.

E onde se encontrava aquele que conquistara o amor dela? Então, ele a descartara como algo inútil, que saqueara as riquezas de seu coração e espalhara cinzas amargas pelos altares partidos? Ele se mantinha longe dela enquanto a umidade da morte tomava as sobrancelhas da mulher, enquanto o nome dele tremulava nos lábios da esposa! Mantinha-se longe! Enquanto ela ficava atenta à sua chegada, embora as imagens da morte se aglomerassem diante de seus olhos, e as coisas terrestres desaparecessem de sua visão.

— Acho que o escuto — murmurou a moribunda. — Com certeza, é o passo dele. — Mas o som sumiu ao longe. De novo, ela

* 184 *

despertou de um sono inquieto. — É a voz dele! Estou tão feliz que ele veio.

As lágrimas se acumularam nos olhos dos tristes espectadores próximos ao leito de morte, pois sabiam que ela estava enganada. Ele não retornara. Pelo bem dela, desejaram que o fizesse. Devagar, as horas foram se dissipando, e então surgiu o pensamento triste e repugnante de que ela havia sido esquecida. Esquecida na última hora da necessidade humana, esquecida quando o espírito, prestes a se dissolver, parou pela última vez à soleira da existência, um espectador cansado nos portões da morte.

— Ele me esqueceu — murmurou ela de novo, por fim, e as últimas lágrimas que derramaria na terra brotaram dos olhos pesarosos; e, unindo as mãos em uma angústia silenciosa, algumas frases entrecortadas emanaram de seus lábios pálidos e trêmulos.

Eram preces de força e súplica fervorosas para quem desolara sua jovem vida, ao transformar o sol em sombra, os sorrisos em lágrimas.

— Ele me esqueceu — repetiu —, mas isso posso suportar, o amargor da morte passou, e logo espero trocar as sombras da morte pelo brilho da eternidade, os árduos caminhos da vida pelas ruas douradas da glória, e o cuidado e caos da terra pela paz e descanso do céu.

Sua voz foi ficando mais e mais fraca; eles viram as sombras, que nunca enganam, passarem por seu rosto pálido e desvanecido e souberam que o anjo da morte aguardava para abrandar a ente fatigada ao descanso, para acalmar o pulsar de seu peito e resfriar a febre de seu cérebro.

E, em meio ao silêncio do luto dos presentes, o espírito liberto, aprimorado por meio do sofrimento e conduzido à harmonia divina por meio do espírito do Cristo vivo, atravessou as águas escuras da morte como em uma ponte de luz, sobre os quais anjos pairavam, inclinando-se sobre arcos radiantes. Eles retiraram as mechas escuras de sua testa de mármore, fecharam as pálpebras

AS DUAS PROPOSTAS

enceradas sobre os olhos outrora vívidos e risonhos, e fizeram-na cair no sono sem sonhos do túmulo.

Ao dar as costas ao leito de morte, a prima havia se tornado uma mulher mais triste e sábia. Decidiu, com ainda mais fervor, fazer do mundo um lugar melhor com o próprio exemplo, mais feliz pela própria presença, e inflamar as chamas da própria genialidade nos altares do amor e das verdades universais. Ela tinha um objetivo maior e melhor em seus escritos do que a mera aquisição de fortuna ou fama.

Sentia ser portadora de uma grande missão sagrada no campo de batalha da existência, e que a vida não lhe fora concedida para ser esbanjada em bobagens, nem desperdiçada em ocupações levianas. Esposaria, por vontade própria, uma causa impopular, mas não injusta. Dentro dela, a escrava oprimida encontrou uma defensora fervorosa; o fugitivo veloz a lembrou da bondade enquanto dava passos cautelosos em direção à nossa República, a fim de alcançar a liberdade, em uma terra monárquica, tendo quebrado as correntes nas quais a ferrugem de séculos havia se acumulado.

Criancinhas aprenderam a chamá-la com afeto, os empobrecidos a julgavam abençoada, enquanto ela partia o pão para entregar a lábios pálidos de fome. A vida dela foi como uma bela história, mas vestida com a dignidade da realidade e investida com a sublimidade da verdade. De fato, era uma solteirona.

Marido nenhum iluminou a vida dela com amor ou ofuscou-a com negligência. Criança nenhuma aninhou-se com afeto nos braços dela e chamou-a de mãe. Ninguém adicionou "sra." a seu nome. Ela era de fato uma solteirona, sem tentativas fúteis de manter uma aparência de moça enquanto a juventude se despedia de sua história.

Não lamentou em vão pela solidão e isolamento: o mundo era cheio de corações cálidos e amorosos, e o dela batia em sincronia com os deles. Também não ficava sempre suspirando por algo a amar, pois objetos de afeição encontravam-se por toda a parte, e o mundo não era tão rico de amor a ponto de o dela não ser de serventia.

Ao abençoar os outros, construiu uma vida e uma consagração, e enquanto a velhice recaía sobre ela com tranquilidade e gentileza, aprendia uma das lições mais preciosas da existência: que a verdadeira felicidade consiste não tanto na concretização de nossos desejos, mas no regulamento deles, no pleno desenvolvimento e no cultivo correto de nossas completas capacidades.

DAMAS FEROZES

O SONHO DA SULTANA

Rokeya Sakhawat Hossain

✶ 1905 ✶

Uma cidade de sonho evita a guerra e a violência. Neste mundo utópico liderado por mulheres, será possível descobrir como elas conquistaram e mantiveram a paz.

Certa noite, estava eu descansando numa poltrona em meu quarto e, preguiçosa, pensava na condição de ser uma mulher indiana. Não tenho certeza se cochilei. Mas, pelo que me lembro, estava bem acordada. Via distintamente o céu enluarado com milhares de estrelas cintilando como diamantes.

Então, de repente, havia uma senhora diante de mim. Como ela entrou, não sei. Eu a confundi com a minha amiga, Irmã Sara.

— Bom dia — disse Sara.

Ri por dentro, pois sabia que não era de manhã, mas sim uma noite estrelada. No entanto, respondi:

— Como vai?

— Estou bem, obrigada. Será que você poderia sair e dar uma olhada em nosso jardim?

Olhei de novo para a lua pela janela e pensei que não havia mal nenhum em sair naquele momento. Os servos do lado de fora estavam dormindo, e eu poderia dar um passeio agradável com Sara.

Eu costumava fazer minhas caminhadas com Irmã Sara quando estávamos em Darjeeling[17]. Muitas vezes andamos de mãos dadas e conversamos despreocupadas pelos jardins botânicos de lá. Imaginei que Irmã Sara provavelmente tinha vindo para me levar a um jardim desse tipo, por isso aceitei de imediato a oferta e saí com ela.

---

17 Cidade localizada no estado indiano de Bengala Ocidental. É a sede do distrito de Darjeeling, nos montes Shivalik, na cadeia inferior do Himalaia, conhecida internacionalmente por seu chá.

Ao caminhar, descobri, para minha surpresa, que era uma bela manhã. A cidade já estava totalmente acordada, e multidões agitadas animavam as ruas . Fiquei muito acanhada ao pensar que estava andando na rua em plena luz do dia, mas não havia um único homem à vista.

Algumas transeuntes fizeram piadas para mim. Embora eu não conseguisse entender sua língua, tinha certeza de que elas faziam piadas. Perguntei à minha amiga:

— O que elas estão dizendo?

— Que você tem trejeitos muito masculinos.

— Masculinos? O que elas querem dizer com isso?

— Que você é desconfiada e tímida como os homens.

— Desconfiada e tímida como os homens?

Realmente era uma piada. Fiquei muito nervosa quando descobri que minha acompanhante não era Irmã Sara, mas sim uma desconhecida. Ah, como fui tola em confundir esta senhora com minha querida e velha amiga Irmã Sara.

Ela sentiu meus dedos tremerem em sua mão, já que andávamos de mãos dadas.

— Qual é o problema, querida? — indagou ela de um jeito carinhoso.

— Sinto-me um pouco esquisita — respondi como se pedisse desculpas —, pois, sendo uma mulher sob a purdah[18], não estou acostumada a andar sem véu.

— Você não precisa ter medo de encontrar um homem aqui. Esta é a TerraD'Elas, livre do pecado e do mal. Aqui reina a virtude.

Aos poucos, fui apreciando a paisagem. Era realmente majestosa. Confundi uma porção de grama verde com uma almofada

---

18 Purdah ou pardaa é a prática de impedir as mulheres de serem vistas pelos homens que não sejam seus parentes diretos.

de veludo. Sentindo como se estivesse andando sobre um tapete macio, olhei para baixo e vi um caminho coberto de musgo e flores.

— Como é lindo — comentei.

— Você gosta? — perguntou Irmã Sara (continuei a chamá-la de "Irmã Sara", e ela continuou me chamando pelo meu nome).

— Sim, muito, mas não gosto de pisar nestas flores lindas e macias.

— Não se preocupe, querida sultana[19], seu pisar não lhes causará nenhum dano. São flores de rua.

— Todo este lugar parece um jardim — comentei com admiração. — Vocês arrumaram todas as plantas com muita habilidade.

— Sua querida Calcutá poderia tornar-se um jardim mais agradável do que este se seus conterrâneos assim o quisessem.

— Eles acham que é inútil dedicar tanta atenção à jardinagem enquanto têm muitas outras coisas a fazer.

— Eles não poderiam encontrar uma desculpa melhor — disse ela com um sorriso.

Fiquei muito curiosa para saber onde estavam os homens. Encontrei mais de uma centena de mulheres enquanto caminhava por aquele lugar, mas não vi um homem sequer.

— Onde estão os homens? — perguntei a Sara.

— Em seus devidos lugares, como deveria ser.

— Diga-me, o que quer dizer com "seus devidos lugares"?

— Ah, agora vejo o meu erro. Não tem como você conhecer nossos costumes, já que nunca esteve aqui. Nós mantemos os homens dentro de casa.

— Da mesma forma que as mulheres são mantidas na zenana[20]?

---

19   O termo é apresentado aqui como o feminino de sultão. Sultão é um título muçulmano usado por diversos líderes ao longo da história que, originalmente, significava força, domínio, autoridade ou poder.

20   Termo utilizado pelas culturas hindu e muçulmana que significa literalmente "das mulheres" ou "pertencente às mulheres". Dá nome a uma parte da casa reservada

O SONHO DA SULTANA

— Exatamente.

— Que engraçado! — Explodi em uma gargalhada. Irmã Sara também riu.

— Mas, querida sultana, é muito injusto trancar as mulheres inofensivas e soltar os homens.

— Por quê? Não é seguro sairmos da zenana, pois somos naturalmente fracas.

— Verdade, não é seguro enquanto há homens perambulando pelas ruas, assim como não é seguro quando um animal selvagem entra num mercado.

— Mas é claro.

— Suponha que alguns lunáticos escapem do hospício e comecem a fazer todo tipo de maldade com homens, cavalos e outros animais. Nesse caso, o que seus conterrâneos fariam?

— Tentariam capturá-los e mandá-los de volta para o hospício.

— Obrigada! E você acha que seria prudente manter as pessoas sãs dentro de um hospício e soltar os loucos?

— Claro que não! — respondi, rindo com leveza.

— Mas é exatamente assim que acontece em seu país! Os homens, que fazem ou pelo menos são capazes de fazer uma infinidade de maldades, estão soltos enquanto as mulheres inocentes estão trancadas na zenana! Como você pode confiar nesses homens indisciplinados fora de casa?

— Não temos voz nenhuma na gestão dos nossos assuntos sociais. Na Índia, o homem é nosso senhor e mestre. Ele tomou para si todos os poderes e privilégios e trancou as mulheres na zenana.

— Por que vocês deixaram que eles as trancafiassem?

— Porque não há o que fazer, já que eles são mais fortes que as mulheres.

exclusivamente às mulheres da família. A parte da casa reservada aos homens e às visitas é a mardana.

✳ 192 ✳

— Um leão é mais forte que um homem, mas isso não permite que ele domine a raça humana. Vocês negligenciaram seus deveres e perderam seus direitos naturais ao fecharem os olhos para os próprios interesses.

— Mas, minha querida Irmã Sara, se fizermos tudo sozinhas, o que os homens vão fazer?

— Desculpe, mas eles não devem fazer nada, pois não estão aptos para nada. Apenas pegue-os e coloque-os na zenana.

— Mas seria fácil pegá-los e colocá-los entre quatro paredes? — rebati. — E, mesmo que isso acontecesse, todos os seus negócios, políticos ou comerciais, também iriam com eles para a zenana?

Irmã Sara não respondeu, apenas sorriu com doçura. Talvez pensasse que era inútil discutir com alguém que não era melhor do que um sapo em um poço[21].

Neste momento, chegamos à casa de Irmã Sara. Situava-se em um belo jardim em forma de coração. Era um bangalô com um telhado ondulado de ferro, mais fresco e agradável do que qualquer um de nossos ricos edifícios. Não consigo descrever como era arrumado, como os móveis eram adoráveis e como a decoração era de bom gosto.

Sentamos lado a lado. Ela levou um bordado para a sala e começou um novo desenho.

— Você sabe tricotar e bordar?

— Sei. Não temos mais nada para fazer na nossa zenana.

— Mas não confiamos os bordados aos membros de nossa zenana! — disse ela, rindo. — Afinal, os homens não têm paciência nem para passar a linha pelo buraco da agulha!

— Você fez tudo isso sozinha? — perguntei, apontando para as várias toalhas de mesa de centro bordadas.

---

21 Kupa Manduka, em sânscrito. É uma expressão comum da região para quando alguém quer dizer que outra pessoa tem uma visão muito tacanha de uma situação.

O SONHO DA SULTANA

— Fiz.

— Onde encontra tempo para fazer tudo isso? Você também tem que fazer o trabalho burocrático, não é?

— Tenho. Não fico no laboratório o dia todo. Termino meu trabalho em duas horas.

— Duas horas! Como consegue? Na nossa terra, os oficiais e magistrados, por exemplo, trabalham sete horas por dia.

— Já vi alguns deles trabalhando. Você acha que eles trabalham essas sete horas?

— Claro que sim!

— Não, querida sultana, não trabalham. Eles desperdiçam tempo fumando. Alguns fumam dois ou três charutos durante o horário do expediente. Eles falam muito sobre o trabalho, mas fazem pouco. Suponha que um charuto leve meia hora para queimar e um homem fume doze por dia. Ele desperdiça seis horas do dia só com o fumo.

Conversamos sobre vários assuntos, e aprendi que elas não estavam sujeitas a doenças epidêmicas nem levavam picadas de mosquitos, como nós. Fiquei muito surpresa ao saber que em TerraD'Elas ninguém morria na juventude, exceto por um raro acidente.

— Gostaria de ver nossa cozinha? — perguntou ela.

— Com prazer — respondi, e fomos vê-la.

É claro que alguém pediu para os homens saírem de lá antes da minha chegada. A cozinha ficava em uma bela horta. Cada trepadeira e cada pé de tomate era em si um ornamento. Não vi fumaça nem uma chaminé na cozinha, que estava limpa e brilhante, com as janelas decoradas com vasos floridos. Não havia nenhum sinal de carvão nem de fogo.

— Como vocês cozinham? — perguntei.

— Com o calor do sol — respondeu ela, ao mesmo tempo, mostrando-me o tubo por onde passava a luz solar concentrada e

* 194 *

o calor. E cozinhou algo ali naquele momento para me mostrar o processo.

— Como vocês conseguiram coletar e armazenar o calor do sol? — perguntei espantada.

— Deixe-me contar um pouco da nossa história. Trinta anos atrás, quando nossa atual rainha tinha treze anos, ela herdou o trono. Era rainha apenas no nome. Quem realmente governava o país era o primeiro-ministro.

"Nossa gentil rainha gostava muito de ciência. Ela baixou um decreto dizendo que todas as mulheres do país deveriam ter educação formal. Assim, inúmeras escolas para meninas foram fundadas e apoiadas pelo governo. A educação espalhou-se entre as mulheres. E o casamento precoce foi suprimido. Nenhuma mulher tinha permissão de se casar antes dos 21. Devo dizer que, antes dessa mudança, éramos restritas pela purdah."

— Como as mesas são viradas — comentei com uma risada.

— Mas o isolamento é o mesmo — disse ela. — Em poucos anos, surgiram universidades separadas, onde nenhum homem era admitido.

"Na capital, onde mora nossa rainha, há duas universidades. Uma delas inventou um maravilhoso balão ligado a uma série de tubulações. Com esse balão, que conseguiram manter flutuando acima das nuvens, elas podem tirar a quantidade de água que quiserem da atmosfera. Como a água era sempre coletada pelas universitárias, nenhuma nuvem se formava mais e, desse modo, nossa engenhosa reitora conseguiu eliminar as chuvas e tempestades."

— É mesmo! Agora entendo por que não há lama aqui! — falei.

Mas eu não conseguia entender como era possível acumular água nos canos. Ela me explicou como era feito, mas eu não conseguia entender, já que meu conhecimento científico era muito limitado. No entanto, ela continuou:

O SONHO DA SULTANA

— Quando a outra universidade soube disso, ficou com muita inveja e tentou fazer algo ainda mais extraordinário. Elas inventaram um instrumento pelo qual poderiam recolher o máximo de calor solar que quisessem. E mantinham o calor armazenado para ser distribuído conforme necessário.

"Enquanto as mulheres estavam envolvidas em pesquisas científicas, os homens do país estavam ocupados aumentando seu poderio militar. Quando souberam que as universidades femininas eram capazes de tirar água da atmosfera e de coletar o calor do sol, eles gargalharam, chamando a coisa toda de 'um pesadelo sentimental'!"

— Suas realizações são, de fato, maravilhosas! Mas, diga-me, como vocês conseguiram colocar os homens do país na zenana? Vocês os capturaram antes?

— Não.

— Não acredito que eles abriram mão da vida ao ar livre por vontade própria para se confinar dentro das quatro paredes da zenana! Eles devem ter sido dominados.

— E foram mesmo!

— Por quem? Algumas guerreiras, imagino?

— Não, não foi no braço.

— Bem, imagino que não. Os braços dos homens são mais fortes que os das mulheres. Então?

— Usamos o cérebro.

— Até mesmo os cérebros deles são maiores e mais pesados que os das mulheres. Não são?

— Sim, mas e daí? Um elefante também tem um cérebro maior e mais pesado que o de um homem. No entanto, o homem pode acorrentar elefantes e usá-los de acordo com os próprios desejos.

— Bem lembrado. Mas, conte-me, por favor, como tudo realmente aconteceu. Estou morrendo de curiosidade!

— O cérebro da mulher é um pouco mais rápido que o do homem. Dez anos atrás, quando os militares chamaram nossas descobertas científicas de "um pesadelo sentimental", algumas de nossas jovens estudantes quiseram dar uma resposta a essas observações. Mas as reitoras de ambas as universidades as repreenderam, dizendo que elas não deveriam responder com palavras, mas sim com atos se tivessem a oportunidade. E elas não precisaram esperar muito por essa oportunidade.

— Que maravilha! — Bati palmas, empolgada. — E agora esses orgulhosos cavalheiros estão tendo seus próprios pesadelos sentimentais.

— Logo depois, algumas pessoas vieram de um país vizinho e se abrigaram no nosso. Elas estavam encrencadas por terem cometido um crime político. O rei, que se preocupava mais com o poder do que em fazer um bom governo, pediu à nossa bondosa rainha para entregá-las aos seus oficiais. Ela se recusou, pois era contra seus princípios entregar refugiados. Por causa dessa recusa, o rei declarou guerra contra o nosso país.

"Nossos militares prontamente se puseram em marcha para encontrar o inimigo. No entanto, o inimigo era forte demais para eles. Nossos soldados lutaram bravamente, sem dúvida. Mas, apesar de toda a bravura deles, o exército estrangeiro avançou passo a passo para invadir nosso país.

"Praticamente todos os homens tinham ido para a batalha; nem mesmo os rapazes de dezesseis anos foram deixados em casa. A maioria de nossos guerreiros morreu, o restante foi conduzido de volta, e o inimigo chegou a quarenta quilômetros da capital.

"Algumas sábias senhoras se reuniram no palácio da rainha para decidir o que deveria ser feito para salvar nossa terra. Algumas propuseram que deveríamos lutar como soldados enquanto outras se opuseram, dizendo que mulheres não eram treinadas para lutar com espadas e revólveres nem estavam acostumadas a lutar com outras armas. Outro grupo, infelizmente, apontou que elas tinham o corpo irremediavelmente mais fraco.

"'Se não é possível salvar o país por falta de força física', dissera a rainha, 'tente fazê-lo pelo poder do cérebro.'

"Houve um silêncio mortal por alguns minutos. Sua Alteza Real falou mais uma vez: 'Terei que cometer suicídio se minha terra e minha honra forem perdidas'.

"Então, a reitora da segunda universidade (a que havia coletado o calor solar), que refletia em silêncio durante a reunião, apontou que todas estavam perdidas e que havia pouca esperança para elas.

"Havia, no entanto, um plano que ela gostaria de experimentar, e seria seu primeiro e último esforço; se não funcionasse, não haveria mais nada a fazer a não ser cometer suicídio. Todas as presentes juraram solenemente que nunca se deixariam escravizar, não importava o que acontecesse.

"A rainha agradeceu de coração e pediu à reitora que executasse seu plano. A reitora se levantou e disse: 'Antes de sairmos, os homens devem entrar nas zenanas. Faço essa súplica pelo bem da purdah'. 'Sim, claro', respondeu Sua Alteza Real.

"No dia seguinte, a rainha pediu que todos os homens entrassem nas zenanas pelo bem da honra e da liberdade. Feridos e cansados como estavam, eles acataram a ordem, que parecia mais uma dádiva! Eles se curvaram e entraram nas zenanas sem proferir uma única palavra de protesto. Estavam certos de que não havia esperança para o país.

"Depois, a reitora, com suas duas mil estudantes, marchou até o campo de batalha e, chegando lá, voltou todos os raios de luz e o calor do sol concentrados para o inimigo.

"O calor e a luz foram demais para eles. Todos fugiram em pânico, perplexos, sem saber como reagir ao calor abrasador. Quando fugiram, deixando suas armas e outras munições de guerra, foram queimados pelo mesmo calor do sol. Desde então, ninguém jamais tentou invadir o nosso país."

— E desde então os homens nunca tentaram sair da zenana?

— Sim, eles queriam ser livres. Alguns dos comissários de polícia e magistrados disseram à rainha que os militares certamente mereciam ser aprisionados por seu fracasso, mas que eles nunca negligenciaram seu dever e, portanto, não deviam ser punidos e suplicaram para serem restaurados a seus respectivos cargos.

"Sua Alteza Real enviou-lhes uma circular intimando que, sempre que seus serviços fossem necessários, eles seriam chamados e que, nesse meio-tempo, deveriam ficar onde estavam. Agora que estão acostumados com o sistema da purdah e pararam de reclamar da reclusão, chamamos o sistema de 'mardana' em vez de 'zenana'."

— Mas como vocês conseguem lidar com casos de roubo ou assassinato sem a polícia e os magistrados? — perguntei para Irmã Sara.

— Desde que a "mardana" foi estabelecida, não houve mais nenhum crime nem pecado; portanto, não precisamos de um policial para achar um culpado nem queremos que um magistrado julgue um processo criminal.

— Isso é ótimo, de fato. Suponho que, se houvesse alguma pessoa desonesta, vocês poderiam puni-la com muita facilidade. Assim como vocês conquistaram uma vitória decisiva sem derramar uma única gota de sangue, também conseguiram deter o crime e os criminosos sem dificuldade!

— Agora, querida sultana, quer ficar aqui ou quer ir à minha sala de estar? — perguntou ela.

— Sua cozinha não é inferior ao toucador de uma rainha! — respondi com um sorriso agradável. — Mas temos que deixá-la. Os cavalheiros podem estar me amaldiçoando por mantê-los longe de suas funções na cozinha por tanto tempo.

Nós duas rimos com vontade.

O SONHO DA SULTANA

— Imagino minhas amigas em casa, espantadas, quando eu voltar e contar que, na distante TerraD'Elas, as mulheres governam o país e controlam todos os assuntos sociais enquanto os homens são mantidos nas mardanas, cuidando dos bebês, cozinhando e fazendo todo tipo de trabalho doméstico! E que cozinhar é tão fácil que acaba sendo um prazer!

— Sim, conte tudo que viu por aqui.

— Por favor, diga-me, como vocês fazem o cultivo e a aragem da terra e qualquer outro trabalho braçal?

— Nossos campos são lavrados pela energia elétrica, que também fornece a força motriz para o trabalho braçal e é utilizada para o transporte aéreo. Não temos ferrovias nem ruas pavimentadas.

— Portanto, não devem ocorrer acidentes rodoviários e ferroviários — comentei. — Vocês nunca sofrem com a falta de água da chuva?

— Não, nunca, desde que o "balão de água" foi criado. Com o grande balão e as tubulações a ele ligadas, podemos extrair o máximo de água da chuva necessária. Também não sofremos mais com inundações e tempestades. Estamos todas muito ocupadas fazendo a natureza render o quanto puder. Não temos tempo para brigar umas com as outras, já que nunca estamos paradas. Nossa nobre rainha é extremamente apaixonada por botânica, e sua ambição é converter todo o país em um grande jardim.

— A ideia é excelente! Qual é seu alimento principal?

— Frutas.

— Como vocês mantêm o país fresco no calor? Nós consideramos que as chuvas de verão são uma bênção do céu.

— Quando o calor se torna insuportável, aspergimos o solo com borrifadores cheios de água extraída das fontes artificiais. E no frio mantemos nossos cômodos aquecidos com o calor do sol.

Ela me mostrou o banheiro, cujo telhado era removível. Podia desfrutar de um banho de chuveiro sempre que quisesse: bastava

✳ 200 ✳

remover o teto (que era como a tampa de uma caixa) e abrir a torneira do cano do chuveiro.

— Vocês são um povo de sorte! — comentei animada. — Não conhecem a escassez. Qual é a sua religião, se posso perguntar?

— Nossa religião se baseia no Amor e na Verdade. É nosso dever religioso amarmos uns aos outros e sermos absolutamente verdadeiros. Se alguma pessoa mentir, ela ou ele é...

— É punido com a morte?

— Não, não com a morte. Não temos prazer em matar uma criatura de Deus, ainda mais um ser humano. O mentiroso é convidado a deixar esta terra para sempre e nunca mais voltar.

— Um criminoso nunca é perdoado?

— É, sim. Se a pessoa se arrepender com sinceridade.

— Vocês não têm permissão para ver nenhum homem, exceto seus parentes?

— Nenhum, exceto relações sagradas.

— Nosso círculo de relações sagradas é muito limitado. Nem mesmo primos de primeiro grau são sagrados.

— Mas o nosso é grande demais. Um primo distante é tão sagrado quanto um irmão.

— Isso é muito bom. Vejo a pureza que reina sobre sua terra. Eu gostaria de conhecer a generosa rainha, que é tão sagaz e visionária e criou todas essas regras.

— Muito bem — disse Irmã Sara.

Ela aparafusou dois assentos em uma prancha quadrada. Nessa prancha, anexou duas bolas lisas e bem polidas. Quando perguntei para que serviam as bolas, ela respondeu que eram bolas de hidrogênio e eram usadas para anular a força da gravidade. As bolas tinham diferentes capacidades, para serem usadas de acordo com os diferentes pesos a serem anulados. Ela, então, prendeu ao carro-voador duas lâminas semelhantes a asas que, segundo ela, funcionavam com eletricidade. Depois de estarmos confortavelmente

O SONHO DA SULTANA

sentadas, ela tocou numa maçaneta e as lâminas começaram a girar, movendo-se cada vez mais rápido. Primeiro, fomos elevadas a cerca de um ou dois metros e, depois, ganhamos os céus. E, antes que eu pudesse perceber que estávamos nos movendo, chegamos ao jardim da rainha.

Minha amiga pousou o carro aéreo invertendo a ação da máquina e, quando o carro encostou no chão, a máquina parou, e nós descemos.

Eu já tinha visto, do carro-voador, a rainha andando pela aleia do jardim com a filha pequena (que tinha quatro anos) e suas damas de companhia.

— Olá! Você aqui! — gritou a rainha para Irmã Sara.

Fui apresentada a Sua Alteza Real e recebida com cordialidade, sem nenhuma cerimônia.

Fiquei muito feliz de conhecê-la. No decorrer da conversa que tivemos, a rainha me disse que não tinha nenhuma objeção em permitir que seus súditos fizessem comércio com outros países.

— Mas — continuou ela — não é possível fazer comércio com países em que as mulheres sejam mantidas em zenanas e, por isso, não podem vir negociar conosco. Achamos que os homens são amorais, por isso não gostamos de lidar com eles. Não cobiçamos a terra de outros povos nem lutamos por um pedaço de diamante, mesmo que seja mil vezes mais brilhante que o Koh-i-Noor[22], nem invejamos um governante em seu Trono do Pavão[23]. Mergulhamos fundo no oceano do conhecimento e tentamos encontrar as pedras

---

22 Koh-i-Noor é um famoso diamante, pertencente à Coroa Britânica, que ornamenta a coroa da Rainha-mãe do Reino Unido desde 1937. A rainha Vitória o ganhou de presente depois de anexar a Índia ao império em 1850. Seu nome significa "Montanha da Luz".

23 Trono do Pavão é um famoso trono, feito de ouro, engastado com joias e pedras preciosas, onde se sentavam os líderes do império Mughal. Foi encomendado por Shah Jahan (o mesmo que construiu o Taj Mahal) no século XVII, mas foi tomado como prêmio pelo rei persa Nader Shah e está perdido desde então.

preciosas que a natureza tem guardadas para nós. Apreciamos os dons da natureza o quanto podemos.

Depois de me despedir da rainha, visitei as famosas universidades e vi algumas de suas fábricas, laboratórios e observatórios.

Depois de visitar esses lugares interessantes, entramos de novo no carro-voador, mas, assim que ele começou a se mover, de alguma forma eu escorreguei, e a queda assustou-me tanto que fui expulsa do sonho. E, ao abrir os olhos, eu estava no meu quarto, ainda descansando na poltrona!

DAMAS FEROZES

O BEBÊ DE DESIRÉE

Kate Chopin

✶ 1893 ✶

Em uma Louisiana pré-Guerra Civil Americana, quando Madame Valmond visita a jovem Desirée, que acabou de dar à luz o filho do poderoso Armand Aubigny, é descoberto que não demorará muito para que um segredo do passado venha à tona.

Como o dia estava agradável, madame Valmonde foi visitar Desirée e o bebê em L'Abri.

Pensar em Desirée com um filho a fez rir. Era como se, ainda ontem, a jovem não passasse de um bebê, quando o *monsieur*, ao cavalgar pelos portões de Valmonde, encontrara Desirée adormecida à sombra de um grande pilar de pedra.

A pequenina acordara em seus braços e começara a chamar por "papai", pois era tudo o que conseguia fazer ou dizer. Alguns pensaram que ela poderia ter se perdido por conta própria, já que acabara de aprender a andar. Mas a maioria achava que ela tinha sido deixada para trás por um grupo de texanos, cuja carroça coberta de lona havia passado pela balsa que a Coton Mais operava, bem perto da plantação, tarde da noite. Com o tempo, madame Valmonde abandonou toda especulação, a não ser a ideia de que Desirée fora enviada para ela por uma providência divina para ser a filha de seu coração, já que não tinha filhos de sangue. A menina cresceu linda e gentil, carinhosa e sincera — o símbolo de Valmonde.

Não era de se admirar que, um dia, ao vê-la apoiada no pilar de pedra a cuja sombra adormecera dezoito anos antes, Armand Aubigny tivesse se apaixonado por ela. Era assim que todos os Aubignys se apaixonavam — como se atingidos por um tiro de pistola. Era de se admirar que não tivesse se apaixonado antes, já que a conhecia desde que tinha oito anos e o pai o trouxera de Paris, depois que a mãe por lá morrera. A paixão que o arrebatou naquele dia, quando ele a viu no portão, foi como o impacto de

O BEBÊ DE DESIRÉE

uma avalanche, o fogo consumindo a pradaria ou qualquer coisa que remova violentamente todos os obstáculos.

Monsieur Valmonde era prático e queria que tudo fosse bem ponderado; isto é, a origem obscura da moça. Armand olhou nos olhos dela e não se importou. Disseram que ela não tinha sobrenome. Que importava o sobrenome quando ele podia dar-lhe um dos mais antigos e prestigiosos da Luisiana? Ele encomendou a *corbeille*[24] de Paris e reuniu toda a paciência que pôde até que chegasse. Então, casaram-se.

Fazia quatro semanas desde que madame Valmonde vira Desirée e o bebê. Quando chegou a L'Abri, como sempre, ela se arrepiou diante da vista. Era um lugar triste, que por muitos anos não conhecera a gentil presença de uma senhora. O velho *monsieur* Aubigny se casara e enterrara sua esposa na França, e ela amava tanto sua terra natal que jamais a deixara. O telhado era envergado e preto como um capuz de monge, estendendo-se além da larga varanda que circundava a casa amarela de estuque. Havia carvalhos grandes e solenes ali perto, e seus galhos longos e folhosos cobriam a casa tal qual uma mortalha. O comando do jovem Aubigny era severo, e sob ele os negros não conheciam a alegria, como fora durante a vida do antigo senhor, calmo e indulgente.

A recuperação da jovem mãe era lenta, e ela estava deitada num sofá entre rendas e musselinas macias e brancas. O bebê estava junto dela, apoiado em seu braço, onde havia adormecido após mamar. A ama mestiça encontrava-se sentada perto de uma janela, se abanando.

Madame Valmonde inclinou sua figura corpulenta sobre Desirée e a beijou, segurando-a carinhosamente nos braços por um momento. Então, se virou para a criança.

---

24 Tradição na França durante o século XIX, o *corbeille* era uma cesta com presentes dada pelo noivo à noiva na assinatura da certidão de casamento. [N. T.]

✳ 206 ✳

— Esse não é o bebê! — exclamou ela, aturdida. Naquela época, o francês era a língua falada em Valmonde.

— Eu sabia que você ficaria espantada — Desirée riu — com o quanto ele cresceu. O leitãozinho! Olhe para as pernas dele, mamãe, as mãos e unhas, unhas de verdade. Zandrine teve que cortá-las esta manhã. Não foi, Zandrine?

A mulher abaixou majestosamente a cabeça coberta por um turbante.

— *Mais si*, madame.

— E a maneira como ele chora — continuou Desirée — é ensurdecedora. Noutro dia, Armand o ouviu lá da cabana La Blanche.

Madame Valmonde não tirava os olhos do bebê. Levantou-o, caminhou com ele até a janela mais iluminada, inspecionou-o com atenção e, depois, olhou para Zandrine — cujo rosto estava virado para os campos — como se buscasse respostas.

— Sim, a criança cresceu, mudou — disse madame Valmonde devagar enquanto a colocava ao lado da mãe. — O que Armand diz?

O rosto de Desirée se impregnou com um brilho que era a manifestação da felicidade.

— Ah, Armand é o pai mais orgulhoso das redondezas, principalmente, creio, por se tratar de um menino que carregará seu nome, ainda que ele diga que não, que também amaria se fosse uma menina. Mas sei que não é verdade, sei que diz isso para me agradar. E, mamãe — ela acrescentou, fazendo madame Valmonde se inclinar para ela e falando num sussurro —, ele não os castigou, nem sequer um deles, desde que o bebê nasceu. Nem mesmo Negrillon, que fingiu ter queimado a perna para descansar do trabalho. Armand apenas riu e disse que ele era um grande patife. Ah, mamãe, estou tão feliz que fico assustada!

O que Desirée dizia era verdade. O casamento e, mais tarde, o nascimento do filho haviam amolecido muito a natureza autoritária e exigente de Armand Aubigny. Era o que fazia a gentil Desirée tão feliz, pois ela o amava desesperadamente. Quando ele fazia uma

★ 207 ★

O BEBÊ DE DESIRÉE

carranca, ela tremia, mas o amava. Quando ele sorria, ela não pedia a Deus nenhuma bênção maior. Mas o rosto sombrio e bonito de Armand não era desfigurado por carrancas desde o dia em que se apaixonara por ela.

Quando o bebê tinha mais ou menos três meses, Desirée acordou um dia convencida de que havia algo no ar ameaçando sua paz. A princípio, era sutil demais para identificar. Era apenas um sinal inquietante: um ar de mistério entre os negros, visitas inesperadas de vizinhos distantes que mal se davam ao trabalho de anunciar sua chegada. Então houve uma mudança estranha e horrível no comportamento do marido, que ela não ousou pedir que ele explicasse. Ao falar com ela, ele desviava o olhar, cujo brilho amoroso parecia ter se apagado. Mal parava em casa, e, quando lá estava, evitava a presença dela e da criança, sem nenhum motivo. Parecia que o espírito do próprio Satã, de repente, tomara conta dele quando se dirigia aos escravos. Desirée estava mortalmente infeliz.

Uma tarde quente, ela estava sentada no quarto, vestindo seu penhoar, correndo apaticamente os dedos pelas mechas do cabelo castanho, longo e sedoso que caía sobre seus ombros. O bebê dormia seminu na grande cama de mogno que era como um trono suntuoso, com seu meio-dossel de cetim. Um dos garotinhos mestiços de La Blanche — também seminu — estava de pé abanando a criança devagar com um leque de penas de pavão. Os olhos de Desirée tinham se fixado no bebê, vagos e tristes, enquanto ela tentava transpor a ameaçadora névoa que sentia se fechar sobre si. Desirée olhava do bebê para o garoto ao lado dele, de novo e de novo.

— Ah! — Foi o arquejo que ela não pôde evitar e que nem sequer percebeu escapar de seus lábios. O sangue se tornou gelo em suas veias, e uma umidade pegajosa tomou conta de seu rosto.

Tentou falar com o garotinho mestiço, mas a princípio nenhum som saiu. Quando ele ouviu seu nome, levantou a cabeça e viu a senhora apontar para a porta. Deixou de lado o leque grande e macio e se retirou, obediente, andando nas pontas dos pés descalços sobre o piso polido.

Ela ficou parada, com o olhar preso à criança. Seu rosto era a representação do pavor.

O marido entrou no quarto sem percebê-la, foi até a mesa e começou a procurar por entre os papéis que ali estavam.

— Armand — ela o chamou num tom de voz que o teria ferido se ele fosse humano. Mas ele não percebeu. — Armand — repetiu. Então, se levantou e cambaleou até ele. — Armand — gemeu mais uma vez, apertando o braço dele —, olhe para o nosso filho. O que significa? Diga-me.

Fria mas gentilmente, ele se livrou do aperto dos dedos e empurrou a mão para longe.

— Diga-me o que significa! — Desirée gritou desesperada.

— Significa — Armand respondeu em voz baixa — que a criança não é branca. Significa que você não é branca.

Uma rápida ideia do que a acusação significava deu a Desirée uma coragem incomum para negar.

— É mentira! Não é verdade, eu sou branca! Olhe para o meu cabelo, é castanho, e meus olhos são cinzentos, Armand, você sabe que são. E minha pele é clara. — Ela agarrou o pulso dele. — Olhe para a minha mão, mais branca que a sua, Armand. — Ela riu histericamente.

— Tão branca quanto a de La Blanche — ele disse, cruel, e a deixou sozinha com a criança.

Quando Desirée conseguiu segurar uma caneta, enviou uma carta desesperada à madame Valmonde.

"Minha mãe, diga-me se não sou branca. Armand diz que não sou. Pelo amor de Deus, diga que não é verdade. Você deve saber que não é verdade. Morrerei. Devo morrer. Não posso ser tão infeliz e continuar viva."

A resposta que veio foi breve:

O BEBÊ DE DESIRÉE

"Minha Desirée, venha para a casa em Valmonde. Volte para a sua mãe que a ama e traga a criança."

Quando a carta chegou, Desirée a levou ao escritório do marido e a deixou na mesa à qual ele se sentava. Depois, ficou como uma estátua: silenciosa, pálida e imóvel.

Em silêncio, ele passou os olhos frios pelas palavras e continuou sem nada dizer.

— Devo ir, Armand? — ela perguntou num tom afiado com o agonizante suspense.

— Sim, vá.

— Você quer que eu vá?

— Sim, quero.

Ele pensava que Deus Todo-Poderoso o havia punido cruel e injustamente e sentia, de alguma forma, que pagava na mesma moeda ao ferir assim a alma de sua mulher. Além disso, não mais a amava, por conta do dano inconsciente que ela causara a seu lar e seu nome.

Desirée se virou como se atingida por um golpe e andou devagar até a porta, esperando que ele a chamasse de volta.

— Adeus, Armand — ela gemeu.

Ele não respondeu. Foi o último golpe que desferiu contra o destino.

Desirée foi em busca do filho. Zandrine andava com ele de um lado a outro na varanda sombria. Desirée pegou o pequenino dos braços da ama sem dizer palavra e, descendo os degraus, foi embora, sob os galhos dos carvalhos.

Era uma tarde de outubro. O sol estava se pondo. Nos campos, os escravos colhiam algodão.

Desirée não havia trocado a roupa branca nem os chinelos que usava. Seu cabelo estava descoberto e os raios do sol davam às mechas castanhas um brilho dourado. Ela não tomou a estrada ampla e descuidada que levava para longe da plantação de Valmonde. Andou pelo campo deserto, onde o restolho arranhou seus

✳ 210 ✳

pés macios, tão delicadamente calçados, e rasgou em pedaços seu vestido fino.

Ela desapareceu por entre os juncos e salgueiros que cresciam na margem do profundo e vagaroso rio. E nunca mais voltou.

Algumas semanas depois, uma cena peculiar se passou em L'Abri. No centro do quintal perfeitamente varrido havia uma fogueira. Armand Aubigny estava sentado na ampla entrada que lhe oferecia uma vista do espetáculo, e era ele que entregava a meia dúzia de negros o material que mantinha o fogo vivo.

Um gracioso berço de salgueiro, com acabamentos delicados, foi colocado na pira, que já havia sido alimentada com a riqueza de um caríssimo enxoval. Em seguida, vestidos de seda, veludo e cetim foram acrescentados; rendas e bordados também; e chapéus e luvas, já que o *corbeille* fora de rara qualidade.

A última coisa a queimar foi um pequeno conjunto de cartas; rascunhos inocentes que Desirée havia mandado a Armand na época do noivado. Havia uma remanescente na gaveta de onde as tirara. Mas não era de Desirée; era parte de uma carta antiga de sua mãe, endereçada ao pai. Ele a leu. Ela agradecia a Deus pela bênção do amor de seu marido:

"Mas, acima de tudo", ela escrevera, "dia e noite, eu agradeço a Deus por ter organizado nossas vidas de forma que nosso querido Armand nunca saberá que sua mãe, que o ama, pertence à raça que está amaldiçoada pela marca da escravidão."

DAMAS FEROZES

UMA MATINÊ DE WAGNER

Willa Sibert Cather

✶ 1904 ✶

Georgiana, imersa na melodia da ópera de Wagner, é tomada pelo desgaste emocional que experimentou ao longo dos anos. Enfrenta, então, as notas perdidas de sua própria sinfonia interior, percebendo que a melodia que antes ressoava em si silenciou.

Certa manhã, recebi uma carta escrita com tinta fraca em um papel de carta lustroso, pautado em azul, com o carimbo de um pequeno vilarejo de Nebraska. Essa mensagem, gasta e vincada, parecendo ter sido transportada por alguns dias dentro de um bolso de casaco que não estava lá muito limpo, era do tio Howard. Ele me informava que sua esposa tinha recebido uma pequena herança de um parente solteiro que morrera havia pouco tempo, e que isso requerera que ela fosse a Boston comparecer à divisão de bens. Ele pedia para que eu fosse encontrá-la na estação e providenciasse quaisquer serviços que lhe fossem necessários. Ao analisar a data da estimada chegada, descobri que seria já no dia seguinte. Como lhe era típico, ele havia postergado enviar a mensagem a ponto de, se eu tivesse passado um dia fora de casa, teria acabado me desencontrando da mulher.

O nome de minha tia Georgiana evocava não somente sua pessoa, por certo patética e grotesca, como formava diante de mim um abismo de recordações tão amplo e profundo que, enquanto a carta caía de minha mão, de repente, me senti alheio a todas as presentes condições de minha existência, desconfortável e desnorteado por completo, ali, em meu quarto. Em resumo, voltei a ser o menino do campo desengonçado que minha tia conhecera, atormentado pela frieira e timidez, com as mãos rachadas e feridas de descascar milho. Senti os nós dos meus dedos hesitantes, como se estivessem feridos de novo. Estava mais uma vez sentado em sua sala de estar diante do órgão dela, manuseando as teclas com as mãos rígidas e vermelhas; enquanto ela, ao meu lado, tricotava luvas para os descascadores.

Na manhã seguinte, após deixar minha senhoria mais ou menos de sobreaviso, segui para a estação. Quando o trem chegou, tive certa dificuldade de encontrar minha tia. Ela foi a última passageira a desembarcar, e, quando a conduzi para dentro da charrete, ela tinha a aparência de um daqueles corpos chamuscados e esfumaçados que os bombeiros retiravam dos destroços de um edifício incendiado. Ela percorrera o trajeto em um vagão de passageiros; seu sobretudo de linho tinha ficado preto por causa da fuligem e o gorro preto tornara-se cinza devido à poeira no caminho. Quando chegamos à minha pensão, a senhoria a levou direto para se deitar, e só voltei a ver minha tia na manhã seguinte.

Qualquer que houvesse sido o choque que a sra. Springer vivenciara com a aparência de minha tia, ela disfarçara bem. Eu mesmo, ao ver a imagem disforme de minha tia, experimentei o sentimento de admiração e respeito com o qual contemplamos desbravadores que perderam as orelhas e os dedos na Terra de Francisco José, ou a saúde em alguma parte do alto do rio Congo.

Minha tia Georgiana fora professora de música no Conservatório de Boston, em algum ponto do final dos anos 1860. Certo verão, que ela passara em um pequeno vilarejo nas Montanhas Verdes onde seus antepassados viveram por várias gerações, ela havia suscitado o capricho imaturo do mais ocioso e indolente dos rapazes do vilarejo, e nutrira por esse tal Howard Carpenter uma daquelas paixões absurdas e extravagantes que um belo rapaz do interior de vinte e um anos às vezes desperta em uma mulher de trinta, simples, angular e portadora de óculos. Quando ela voltara aos próprios deveres em Boston, Howard a seguira; e o desfecho dessa paixoneta inexplicável fora que ela tinha fugido para se casar com ele, escapando das censuras da própria família e das críticas dos amigos ao ir com o rapaz para a fronteira em Nebraska.

* 214 *

Carpenter, que evidentemente não tinha um tostão, havia se apossado de uma propriedade no Condado de Red Willow, a oitenta quilômetros da ferrovia. Lá, eles mensuraram seus mais de trinta hectares ao conduzirem uma carroça pelo prado, a cuja roda tinham amarrado um lenço de algodão vermelho, e contaram as voltas. Construíram um abrigo na encosta vermelha, uma daquelas moradias cavernosas que prisioneiros em geral revertiam às condições de primitiva selvageria. Extraíam a água das lagoas nas quais os búfalos bebiam, e seu estoque escasso de provisões estava sempre à mercê de bandos de indígenas itinerantes. Por trinta anos, minha tia nunca se distanciara mais de oitenta quilômetros da propriedade.

Mas a sra. Springer não sabia de nada disso, e devia ter ficado bastante chocada com o que restara de minha parente. Por debaixo do casaco de linho maculado, que à chegada era o componente mais notório de seu traje, usava um vestido preto de linho e lã, ornado de forma que demonstrava que havia se lançado sem ressalvas às mãos de uma costureira do interior. No entanto, a estatura de minha pobre tia teria oferecido desafios a qualquer costureira.

A pele dela era amarela como a de um mongol devido à constante exposição ao vento impiedoso e à água alcalina, que transforma a cutícula mais transparente em uma espécie de couro flexível. Usava uma dentadura de encaixe imperfeito. A coisa mais proeminente em sua fisionomia, contudo, era o espasmo incessante da boca e das sobrancelhas, uma forma de distúrbio nervoso que era resultado do isolamento e da monotonia, além do frequente sofrimento físico.

Em minha infância, essa aflição me despertara uma espécie de fascínio horrível, do qual muito me envergonhava em segredo, porque naquela época todo o bem com o qual eu era agraciado se devia àquela mulher, e eu nutria uma afeição reverente por ela. Ao longo dos três invernos que passei tocando o gado para meu tio, minha tia, depois de preparar três refeições para meia dúzia de lavradores, e após colocar seis crianças na cama. Com frequência ficava até a meia-noite, diante da tábua de passar, me ouvindo recitar declinações e conjugações em latim na mesa da cozinha a seu lado e me sacudindo com delicadeza quando minha cabeça sonolenta mergulhava em uma página de verbos irregulares.

Foi para ela, passando ou emendando roupas, que li Shakespeare pela primeira vez; e o antigo livro didático de mitologia dela foi o primeiro a parar em minhas mãos vazias. Ela me ensinou as escalas musicais e a praticar no pequeno órgão da sala que o marido comprara para ela depois de quinze anos, durante os quais ela não vira quase instrumento algum a não ser um acordeão que pertencera a um dos lavradores noruegueses.

Ela se sentava a meu lado a cada hora, costurando e contando, enquanto eu lutava para executar o "Ferreiro Harmonioso", mas quase nunca falava comigo de música, e eu entendia o porquê. Era uma mulher devota, tinha o consolo da religião, e para ela ao menos o martírio não era de todo sórdido. Uma vez, quando eu estava teimando em alcançar uma nota de "Euryanthe" que encontrara entre os livros de música dela, ela veio até mim e, colocando as mãos sobre meus olhos, com delicadeza puxou minha cabeça contra o próprio ombro, dizendo com a voz trêmula:

— Não ame tanto isso, Clark, ou do contrário podem tirá-lo de você. Ah! Querido, reze para que não seja esse seu sacrifício.

Quando minha tia apareceu na manhã seguinte à sua chegada, ainda estava em estado de semissonambulismo. Não parecia perceber que se encontrava na cidade em que passara a juventude, o local pelo qual ansiara com avidez por metade de uma vida. Estivera tão enjoada por causa da viagem de trem ao longo do trajeto que não se lembrava de nada além do próprio desconforto, e, para todos os efeitos, foram nada mais que algumas horas de pesadelo entre a fazenda no Condado de Red Willow e meu quarto na rua Newbury.

Eu tinha planejado um agradinho para ela naquela tarde, a fim de retribuir alguns dos momentos gloriosos que me proporcionara quando tirávamos leite das vacas no galpão colmado de palha, e, porque em geral eu estava cansado, ou porque o marido dela tinha falado grosso comigo, ela me contava da esplêndida apresentação de *Les Huguenots* de Meyerbeer que vira em Paris na juventude.

Às duas da tarde, a Orquestra Sinfônica de Boston apresentaria uma programação de Wagner, e eu planejava levar minha tia, embora, enquanto conversava com ela, tenha ficado na dúvida se ela gostaria da atividade. De fato, para o próprio bem dela, eu poderia apenas desejar que seu gosto por tais coisas estivesse morto e enterrado, e a longa batalha felizmente tivesse acabado por fim. Sugeri que visitássemos o Conservatório e o parque Common antes do almoço, mas ela parecia tímida demais para se aventurar a sair. Distraída, perguntou-me a respeito de várias mudanças na cidade, mas estava sobretudo preocupada com ter se esquecido de deixar instruções para que alimentassem um bezerro com leite semidesnatado.

— É o bezerro da velha Maggie, sabe, Clark — explicou ela, decerto tendo se esquecido de por quanto tempo eu estivera longe da propriedade.

Ela estava ainda mais preocupada porque tinha deixado de contar à filha sobre o fardo de peixe cavala que fora aberto havia pouco tempo e estragaria se não fosse logo preparado.

Perguntei se já tinha ouvido falar de alguma ópera de Wagner e descobri que não, embora conhecesse bem as respectivas situações a tal tipo de ópera e outrora estivesse de posse da partitura para piano de "O navio fantasma". Comecei a pensar que teria sido melhor conduzi-la de volta ao Condado de Red Willow sem despertá-la e arrependi-me de ter sugerido o espetáculo.

Desde o momento em que entramos na sala de espetáculos, contudo, ela estava um tico menos passiva e inerte, e pareceu começar a notar os arredores. Tive certo receio de que ela ficasse ciente do absurdo que era a própria vestimenta, ou que se sentisse

UMA MATINÊ DE WAGNER

dolorosamente constrangida ao adentrar de repente um mundo para o qual estivera morta por um quarto de século. Porém, mais uma vez, percebi como eu a havia julgado de maneira superficial.

Ela ficou sentada, observando com olhos impessoais, quase pétreos, como os do Ramsés de granito em um museu, os quais contemplam o vai e vem que flui e escoa ao redor de seu pedestal, separados da estátua por uma solitária extensão de séculos. Eu havia visto essa mesma indiferença em velhos mineradores que se insinuavam para dentro do hotel Brown, em Denver, com os bolsos cheios de ouro, as roupas de linho sujas, os rostos abatidos com a barba por fazer, e que ficavam pelos corredores apinhados tão solitários como se ainda estivessem em um campo congelado no Yukon, ou na labareda amarela do deserto do Arizona, cientes de que certas experiências os haviam isolado dos colegas por uma fissura que alfaiate nenhum poderia mascarar.

O público era composto sobretudo por mulheres. A vista se perdia no contorno de rostos e corpos, de fato, em qualquer efeito de costura existente, e havia apenas o contraste de cor de inúmeros corpetes, o cintilar e sombrear de tecidos macios e firmes, sedosos e finos, resistentes e flexíveis: vermelho, malva, rosa, azul, lilás, roxo, bege, rosa, amarelo, creme e branco, todas as cores que um impressionista encontra em uma paisagem ensolarada, com a sombra preta de um fraque aqui e ali. Minha tia Georgiana os observava como se fossem borrões de um tubo de tinta em uma paleta.

Quando os músicos apareceram e assumiram os lugares, ela se remexeu um pouco em expectativa, e olhou com um rápido interesse por cima do corrimão para o grupo invariável; talvez fosse a primeira coisa totalmente familiar que tinha captado seu olhar desde que deixara a velha Maggie e seu frágil bezerro.

Eu conseguia sentir todos aqueles detalhes se assentando em sua alma, porque não havia esquecido de como se assentaram na minha quando vim direto da eterna lavoura entre as fileiras de milho, nas quais, como em um moinho, é possível caminhar do

✳ 218 ✳

amanhecer ao anoitecer sem perceber uma mínima mudança no entorno. Lembrei a mim mesmo da impressão que tive diante da aparência limpa dos músicos, do brilho em suas vestes de linho, do preto fosco de seus paletós, das formas adoráveis dos instrumentos, dos feixes de luz amarela projetados pelas lâmpadas de chão esverdeadas sobre as barrigas lisas e envernizadas dos violoncelos e das gambas ao fundo, a floresta inquieta e agitada de pescoços e arcos de violinos; lembrei-me, então, como, na primeira orquestra que ouvi na vida, aquelas longas arcadas pareceram me extrair a alma, como a varinha de um ilusionista saca uma fita de papel de um chapéu.

A primeira apresentação foi uma abertura de Tannhäuser.[25] Quando os violinos emitiram a primeira nota de "O canto dos peregrinos", minha tia Georgiana apertou a manga de meu casaco. Foi então que notei que para ela aquela entoação de baixos e o frenesi pungente das cordas mais leves romperam um silêncio de trinta anos, o silêncio inimaginável dos campos.

Com a batalha entre os dois motivos, com o frenesi amargo do tema de Venusberg e seu rasgar de cordas, fui tomado por um senso avassalador do desperdício e do desgaste que somos tão impotentes a combater. Vi outra vez a casa alta e nua no prado, preta e sóbria tal qual uma fortaleza de madeira; o lago negro no qual eu aprendera a nadar; o barro afogado pela chuva ao redor da casa; as quatro mudas de freixo nanicas nas quais se pendurava panos de prato para secar diante da porta da cozinha. Lá o mundo é estável; a leste, um milharal que se estendia até o amanhecer; a oeste, um curral que se desdobrava até o anoitecer; entre os dois, as sórdidas conquistas da paz, mais impiedosas que as da guerra.

---

25 Tannhäuser é um personagem lendário e uma figura central em várias tradições folclóricas e literárias germânicas. A história do personagem é frequentemente associada a uma ópera do compositor alemão Richard Wagner, intitulada "Tannhäuser". Na ópera, Tannhäuser é um trovador e poeta que busca redenção espiritual. A trama aborda temas como amor, redenção e conflitos entre o sagrado e o profano. [N. R.]

UMA MATINÊ DE WAGNER

A abertura se encerrou. Minha tia soltou a manga de meu casaco, mas nada disse. Permaneceu ali, observando a orquestra através de um torpor de trinta anos, por meio dos filmes elaborados pouco a pouco, trezentos e sessenta e cinco dias cada um.

Me perguntei: o que ela ganhava com aquilo? Fora uma boa pianista em sua época, disso eu sabia, e sua instrução musical fora mais ampla que a maior parte dos professores de música de um quarto de século antes. Com frequência, ela me contava sobre as óperas de Mozart e Meyerbeer, e eu me lembrava de ouvi-la cantar, anos atrás, algumas melodias de Verdi. Quando eu havia ficado doente com uma febre, minha tia se sentara ao lado do meu colchão ao cair da tarde, enquanto o vento fresco da noite soprava através da tela de mosquito puída pregada à janela. Eu ficara observando uma estrela brilhante queimando vermelha pelo milharal, e ela cantara "Lar para nossas montanhas, ah, que nos deixem retornar!"[26] de um modo digno de partir o coração de um rapaz de Vermont que já quase morria de saudade de casa.[27]

Observei-a com atenção durante o prelúdio a *Tristão e Isolda*, tentando em vão conjeturar o que aquela peleja de motivos, aquele tumulto fervilhante de cordas e sopros, poderia significar para minha tia. Aquela música fora uma mensagem para ela? Havia ou não um novo mundo se insinuando em sua consciência? Wagner fora um livro selado para os norte-americanos antes dos anos 1860. Havia nela ainda o bastante para compreender essa glória que se revelara pelo mundo desde que ela partira dele?

---

26 *"Home to our mountains, oh, let us return!"* [N. T.]

27 A ária "Home to Our Mountains", também conhecida como "The Stranger's Home", faz parte da ópera Prince Igor do compositor russo Alexander Borodin. Esta ópera, conhecida por suas melodias expressivas, inclui a ária em que o personagem principal expressa seu desejo de retornar às montanhas de sua terra natal. A ópera foi deixada inacabada por Borodin e foi completada por seus colegas Rimsky-Korsakov e Glazunov após sua morte. [N. R.]

Eu estava me corroendo de curiosidade, mas tia Georgiana continuou em silêncio até o auge em Darien. Ela manteve a total imobilidade ao longo das apresentações de "O navio fantasma", embora seus dedos estivessem contorcendo o vestido preto por instinto, como se eles próprios estivessem se lembrando da partitura de piano que outrora tocaram. Pobres mãos velhas! Foram esticadas, puxadas e retorcidas até virarem meros tentáculos que seguravam, erguiam e sovavam; as palmas inchadas ao extremo, os dedos curvados e nodosos, em um deles havia uma tira fina e desgastada que fora uma aliança de casamento. Enquanto eu apertava e, com delicadeza, acalmava uma daquelas mãos inquietas, lembrei-me, com pálpebras tremulantes, o quanto tais mãos me serviram em outras épocas.

Assim que o tenor começou a "Prize Song", ouvi um inspirar curto, e me virei para minha tia. Ela estava de olhos fechados, mas as lágrimas brilhavam nas bochechas, e acho que um momento depois as lágrimas também tomaram meus olhos. Nunca morre de fato, então, a alma? Definha apenas para o olhar externo, como o musgo estranho que pode jazer em uma prateleira empoeirada por metade de um século e, ainda assim, quando recolocado na água, ficar verde de novo. Minha tia chorou baixinho ao longo do desenvolvimento e da elaboração da melodia.

Durante o intervalo, antes da segunda metade do espetáculo, perguntei a minha tia e descobri que "Prize Song" não era algo novo para ela. Alguns anos antes, havia ido parar na fazenda no Condado de Red Willow um jovem alemão, um vaqueiro errante, que tinha cantado no coral em Baireuth quando criança junto a outros meninos e meninas do campo. Nas manhãs de domingo, ele costumava se sentar na cama de coberta xadrez no quarto dos lavradores, que dava para a cozinha, limpando o couro das botas e da sela, cantando *Prize Song*, enquanto minha tia prosseguia com o trabalho na cozinha. Ela o cercara até persuadi-lo a se juntar à igreja da região, embora sua única aptidão para tal, até onde eu

UMA MATINÊ DE WAGNER

entendia, estivesse em seu rosto de menino e na posse da melodia divina. Logo depois, ele fora para a cidade no Quatro de Julho, onde ficara bêbado por vários dias, perdera o dinheiro no jogo, montara um boi texano selado por conta de uma aposta e desaparecera com a clavícula fraturada.

— Bem, seja como for, estamos consumindo obras melhores desde a velha "Trovatore", certo, tia Georgie? — questionei com uma jocosidade bem-intencionada.

O lábio dela tremeu, e depressa ela cobriu a boca com o lenço. De trás do tecido, murmurou:

— E você vem ouvindo isso desde que partiu, Clark? — A pergunta dela foi a mais gentil e triste das censuras.

— Mas a senhora entende, tia Georgiana, a impressionante estrutura de tudo isso? — insisti.

— Quem poderia entender? — respondeu ela, distraída. — E por que deveria?

A segunda metade do espetáculo consistiu em quatro apresentações de "O anel do Nibelungo". A ela seguiu-se a música da floresta de Siegfried, e o espetáculo se encerrou com a marcha fúnebre de Siegfried.

Minha tia chorou baixinho, mas quase sem parar. Fiquei perplexo com a extensão da compreensão musical que restava nela, que não ouvira nada além da entoação de hinos evangélicos em cerimônias metodistas na construção quadrada da escola da Seção Treze. Não consegui determinar o quanto daquilo se dissolvera em espuma, ou se enterrara no pão, ou se ordenhara no fundo de um balde.

O dilúvio de som continuou a se derramar; nunca descobri o que ela encontrou naquela torrente cintilante, nunca soube o quanto nela se embrenhou, por quais ilhas passou, ou debaixo de quais céus. Pelo tremor em seu rosto, eu poderia bem acreditar que a marcha fúnebre de Siegried, ao menos, a tivesse transportado para onde se encontram os inúmeros túmulos, lá nas áreas enterradas e

✳ 222 ✳

cinzas do mar, ou para dentro de um mundo de morte mais vasto, no qual, desde o início do mundo, a esperança se deitava com a esperança, o sonho com o sonho, e, após a renúncia, dormia.

O espetáculo acabou, e as pessoas saíram da sala conversando e rindo, felizes ao relaxarem e reencontrarem o nível de vida, mas minha parente não fez esforço algum para se levantar. Falei com ela de forma gentil, e ela caiu no choro e soluçou, implorando:

— Eu não quero ir, Clark, não quero ir!

Eu entendia. Para ela, logo além da porta da sala de espetáculos, jazia o lago negro com as margens marcadas pelo gado, a casa alta e sem pintura, nua como uma torre, com as tábuas encurvadas pelo tempo, com as mudas tortas de freixo nas quais pendiam os panos de prato para secar, os perus esqueléticos e depenados bicando o lixo ao redor da porta da cozinha.

DAMAS FEROZES

Este livro foi impresso na fonte
Artigo pela gráfica Ipsis.

Os papéis utilizados nesta edição
provêm de origens renováveis.
Nossas florestas também merecem proteção.

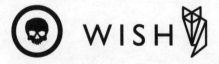

PUBLICAMOS TESOUROS LITERÁRIOS PARA VOCÊ

editorawish.com.br